인생에 정답은 없으니까

인생에 정답은 없으니까

이신현

어나오

김지혜

본연의 아름다움

해원

김엔냐

금이

추천의 말 -1

고유출판사 이창현

예측되는 삶이라는 것만큼 불행한 것이 없습니다. 5년 뒤, 10년 뒤 모습이 상상되지 않을수록, 우리의 현재는 더욱 빛납니다. 여느 이야기의 시작이 '어느 날 갑자기'인 것처럼, 어느 날 갑자기 10년 동안 잘 다니던 회사를 때려치운 뒤 히말라야로 떠날 수도 있고, 어느 날 갑자기 지난 삶을 글의 소재 삼아 소설로 쓸 수 있습니다. 어느 날 갑자기 알코올 중독자에서 알코올 중독자들을 치료하기 위한 강사로서의 꿈을 꿀 수 있습니다.

이 책은 '어느 날 갑자기'를 담았습니다. 책 속에는 정말 10년 동안 잘 다니던 회사를 때려치운 뒤 히말라야로 떠난 이의 이야기가 담겨있고, 지난 삶을 글의 소재 삼아 쓰인 소설이 있고, 수십 년간 알코올에 의존하던 이가 알코올 중독자들을 치유시키고 싶어 하는 강사를 꿈꾸는 이야기가 있습니다. 또, 12년 차 중학교 선생님의 근무 시절을 돌아보며 배우고, 경험한 것들을 정리한 이야기. 퇴사 후 창업한 뒤 첫 달 매출을 500만 원 달성한 뜨거운 고군분투의 이야기. 퇴사 후 자신의 삶에서 가장 인상 깊었던 여행지 미국을 샅샅이 소개해 주는 이야기. 본인이 아버지의 입장이 되어서 그 마음과 상황을 헤아려본 이야기까지.

한 권의 책에는 전혀 예측되지 않는 누군가의 빛나는 삶이 무려 일곱 개나 들어가 있습니다. 독자분들이 이 글을 통해 삶이 예측 불가능할 때, 그 미지의 불안함에서 기인되는 행복을 오롯이 즐기는 계기가 되었으면 좋겠습니다.

추천의 말 -2

작가 **박정원**

마음이 멀리 가도 몸이 제자리에 있을 때가 있습니다. 어느덧 지하철을 타 있고 회사 앞에 도착해 사뭇 놀라곤 합니다. 매일의 반복이 일상이 된다고 느낍니다. 첫 출근, 타인과의 만남과 갈등, 중요한 프로젝트의 성공 등 의미를 담아 행동하는 특별한 날들도 있겠지만요. 매 순간 그런 행동을 해야 한다면 버겁겠지만요. 나의 발이 움직여 어딘가로 나아가는 일이, 손을 움직여 무언가를 해내는 일이 그저 움직임인 것도 유쾌하지는 않습니다.

자신을 일상으로부터 멀리 두고 싶은 분들께 이 책을 건네고 싶습니다. 뉴욕의 다채로운 풍경, 히말라야에서 숨이 버겁고 영혼이 평안했던 날들, 아버지의 삶과 어린 나의 시리고 따뜻한 과거 한 시절, 존재를 맑게 닦아내는 문학적 순간, 색으로 발견하는 시대의 다양한 아름다움, 술이 이끈 외계와 소중한 인연 그리고 신비로운 사막 마을까지. 익숙하지 않아 불편하고 낯설어 두려운 미지에 발을 들을 때 오롯한 나를 회복하게 되니까요.

차례

본연의 아름다움

해원

김엔냐

금이

일러두기

책 집필에 참여한 작가 대부분은 자신의 글을 처음 세상으로 내보입니다.
출판사는 작가들의 원고에 큰 오탈자와 비문 정도에만 개입하였고, 그 외에는 자신의 문장이 그대로 세상에 나오는 즐거움을 느낄 수 있도록 개입하지 않았습니다.

비스따리 비스따리, 히말라야를 걷다.

이신현

10년 넘게 다니던 회사를 그만두다

'한 회사를 왜 그렇게 오래 다니시나요?' 회사 안팎으로 자주 들었던 질문이다. 처음 사회생활을 시작한 회사에서 11년간 근무했다. 예전 아버지 세대에는 이직하는 것이 드물었다. 요즘에는 오히려 한 회사에 오래 다니는 게 드물다. 주변 친구 중 이직을 안 해본 사람은 나밖에 없다. 내가 일하는 마케팅 업계는 이직률이 높아서 주변 사람들이 이유를 더욱 궁금해했다.

10년이면 강산도 변한다는데 나는 왜 계속 같은 회사에 다녔을까? 혼자서 곰곰이 생각해 봤다. 첫 번째 이유는 사람이다. 입사했을 때 함께 일했던 팀원들 덕분에 빠르게 회사에 적응할 수 있었다. 다들 나보다 선배였지만 회사에 다닌 기간은 내가 제일 길다. 함께 일한 건 1~2년 정도였지만 지금까지 연락하며 가깝게 지내고 있다. 첫 회사에서 제대로 일을 배우는 것은 평생의 커리어에 영향을 미칠 수 있기 때문에 매우 중요하다. 그런 점에서 사장님, 상무님께 일을 제대로 배울 수 있었던 것도 감사하게 생각한다. 두 번째 이유는 성취감이다. 성장하는 업계, 그 안에서 가장 빠르게 성장하는 회사, 그리고 회사에 기여하는 내가 있었다. 등대라고 불릴 만큼 야근이 잦은 회사였다. 육체적으로 힘든 순간들도 많았다. 그때마다 성과를 내며 얻는 성취감으로 버텼다. 원래부터 그런 사람이었는지, 회사에 다니면서 변한 건지는 잘 모르겠다. 다만, 내가 성취에 큰 의미를 부여하는 사람이란 것은 확실히 알게 되었다. 처음 입사했을 때보다 회사의 규모, 매출액 모두 몇 배는 커졌다. 다니던 회사가 상장하는 진귀한 경험도 했다. 성장하는 회사에서 일하다보니 회사와 나를 동일시했다. 회사를 너무 사랑했다. 그렇게 11년이라는 시간이 빠르게 흘렀다.

 회사에서 보냈던 시간을 후회하지는 않는다. 살아남기 힘든 업계에서 버텨온 근성과 다양한 기업, 브랜드를 성장시킨 경험을 얻었다. 앞으로의 삶에서 내가 얻은 것들은 강력한 무기가 될 것이다. 그렇게 애정하던 회사였지만, 우연히 읽은 한 권의 책에서 나의 고민은 시작되었다. 내가 읽었던 것은 자본주의에 관한 책이었다. 10년 넘게 직장 생활을 해온 30대 중반의 나이지만, 회사 일 말고 다른 것에는 무지했다. 책을 통해 자본주의 사회에서 월급만으로 내가 원하는 목표를 이루기 힘들다는 것을 깨달았다. 창업자가 아니라면 회사와 나는 같을 수 없다. 안정적인 월급을 받고 있었지만, 직장인으로 성장하는 것에는 한계가 있었다. 업계에서 유명한 회사에 다녀도 내가 유명한 것은 아니었다. 나는 우물 안 개구리였다. 회사와 무관한 나만의 가치를 키우고 싶었다. 리스크가 있더라도 나를 위해 일하고 싶었다. 그렇게 퇴사를 결심했다. 30대의 퇴사는 20대와 많이 다르다. 무작정 사표를 던질 수 없다. 퇴사를 결심하고 1년간 회사 밖에서 다양한 경험을 했다. 많은 사람을 만나며 이게 맞는 선택일지 내가 회사 밖에서 살아남을 수 있을지 고민했다. 그리고 11년 만에 회사를 그만두게 되었다.

히말라야에 가기로 결심하다

퇴사는 내 인생의 큰 전환점이다. 10년 넘게 하루에 가장 오랜 시간을 보내던 익숙한 곳을 떠나 불편함의 다리를 건너야 한다. 회사라는 안전한 울타리를 뛰쳐나왔기에 앞으로 살아갈 날들은 이전과 매우 다를 것이다. 미래에 닥쳐올 험난한 일들을 헤쳐나갈 에너지가 필요했다. 어려운 결정이었기에 퇴사를 기념하고 싶은 마음도 있었다. 나는 휴식에서 큰 에너지를 얻지 못한다. 회사 생활을 돌이켜봤을 때 평소 경험하기 어려운 도전을 이겨내는 성취에서 더 큰 에너지와 자신감을 얻을 것 같았다. 그렇게 선택한 것이 바로 히말라야 트래킹이다.

몇 년 전 그랜드캐니언 여행에서 쏟아지는 별들을 마주한 적이 있었다. 경이로운 규모의 계곡을 보며 자연에 대한 경외심이 생겼다. 인간이 만들어낼 수 없는 자연경관 중 하나인 히말라야에도 관심을 갖게 되었다. 히말라야는 나에게 그야말로 도전의 상징이었다. 언제가 될지 기약은 없었지만 히말라야 설산을 보러 가는 것이 버킷리스트 중 하나가 되었다. 여러 가지 상황을 고려했을 때 지금이 가장 좋은 기회였다. 이번이 아니면 안 될 것 같았다. 퇴사 후 바로 다음 주 월요일에 출발하는 네팔행 비행기를 무작정 예매했다.

히말라야에는 다양한 트래킹 코스가 있다. 히말라야 14좌에

속하는 안나푸르나는 가장 대표적인 트래킹 지역이다. 정확히는 안나푸르나 베이스캠프 ABC(Annapurna base camp)를 목적지로 한다. 히말라야처럼 고도가 높은 산들은 하루 만에 오를 수 없다. 전문 산악인들이 등반을 위해 보급품과 장비를 준비하는 장소를 베이스캠프라고 부른다. 참고로 일반인들은 베이스캠프까지만 접근이 가능하다. 이외에도 에베레스트 베이스캠프 EBC(Everest base camp), 안나푸르나 5개 봉우리를 도는 안나푸르나 서킷, 최근 인기 코스로 떠오르는 마르디히말, 랑탕과 같은 코스도 있다. 나에게 주어진 시간은 총 12일, 이동을 제외하면 8일간 트래킹이 가능했다. 일정상 푼힐 전망대를 거쳐 ABC에 도착하는 코스가 가장 적합했다. 혹시 변수가 생길 것을 고려하여 하루 쉬는 날을 두고 6박 7일로 트래킹 계획을 짰다. 다녀온 분들의 후기를 찾아보며 조금씩 기대감이 커지기 시작했다.

비스따리, 비스따리

날씨가 꽤 쌀쌀한 초겨울 아침 홀로 인천 공항에 도착했다. 코로나 이후 첫 공항이다. 공항이라는 공간에 오는 것만으로도 느껴지는 설렘이 있다. 혼자 가는 여행은 처음인데, 해외여행을, 그것도 히말라야에 가다니! 기대 반 두려움 반의 마음이다. 이번

여행에서 세 가지는 꼭 챙기자고 다짐했다. 첫 번째는 생각 정리이다. 지나간 시간의 회고보다는 앞으로 어떻게 살아갈지 정리하고 각오를 다지고 싶었다. 두 번째는 기록이다. 혼자 걸으면서 떠오르는 생각들을 놓치지 않기 위해 작은 수첩과 볼펜을 준비했다. 마지막은 독서이다. 걷지 않는 시간에는 책을 읽으려고 종이책과 이북 리더기를 준비했다. 종이책은 퇴사를 결심하게 해준 박지웅 대표님의 '이기는 게임을 하라' 한 권을 챙겼다.

인천 공항에서 청도를 거쳐 네팔의 수도 카트만두에 도착했다. 트래킹을 위해서는 국내선을 타고 포카라로 한 번 더 이동해야 한다. 국제선에서 국내선 공항까지는 걸어서 10분 거리이다. 카트만두에 11시 도착이라 1시에 바로 출발하는 국내선 비행기를 예매해 두었다. 비자 결제와 입국 수속까지 2시간이면 충분할 것이라고 생각했기 때문이다. 하지만 나의 큰 착각이었다. 네팔의 11월은 가을 트래킹 성수기라 평소보다 입국자가 많았다. 결정적으로 네팔 공항 담당자들이 우리나라처럼 빠르게 업무를 처리하지 않았다. 비자 결제, 입국 수속 모두 예상보다 많은 시간이 소요되었다. 국내선을 놓쳐서 포카라에 못 가는 것은 아닐지 걱정이 되었다. 혹시 나 같은 사람은 없었는지, 예약해 둔 숙소를 변경할 수 있을지 정보를 검색하기 시작했다. 검색을 하다가 블로그에서 지금 내 상황에 딱 맞는 문구를 발견했다. 글을 읽으며 대부분의 걱정이 사라지게 되었다.

내가 읽은 것은 '비스따리, 비스따리', '천천히, 천천히'라는 뜻의 네팔어에 대한 내용이었다. 네팔 사람들은 대자연의 위대함을 알기 때문에 그 속에서 천천히 흘러가는 시간을 누린다고 한다. 자족과 감사를 중요시하며 자연의 속도에 맞춰 순응하고 살아간다. 비행기를 놓칠까 봐 전전긍긍한 마음이 들었다. 블로그에서 발견한 글을 읽고 '비스따리, 비스따리'를 마음속으로 말하기 시작했다. 네팔에서는 왠지 놓쳐버린 비행기 표를 바꿔줄 것 같은 느낌이 들었다. 결국 한시간 늦게 국내선 공항에 도착해서 1시 비행기를 타지 못했다. 하지만 다행히 항공사에서 비행기 시간을 무료로 변경해줬다. 바로 다음 비행기는 매진이라 그 다음 시간을 예약할 수 있었다. 덕분에 공항에서 총 5시간을 대기했다. 다시 '비스따리, 비스따리'를 외우고 책을 읽으며 기다렸다. 도착하자마자 생긴 해프닝으로 네팔 문화를 빠르게 경험할 수 있었다.

내가 출발하기 2주 전 히말라야에서 한국인 사망 사고가 있었다. 20대 남성이 포터 없이 혼자서 트래킹하다가 난 사고였다. 주변에서 기사를 보고 걱정된다는 연락을 많이 주셨다. 솔직히 나도 조금 걱정이 되었다. 고산병이 원인이라고 하여 출발 전부터 철저하게 대비했다. 체온 관리가 중요하다고 해서 특히 방한용품을 꼼꼼하게 챙겼다. 잘 때 입을 두꺼운 구스 바지와 실내용 방한 신발을 미리 구매했다. 고도 3,000미터 이상에서는 샤워도 할 수 없다. 찝찝함을 줄이기 위해 머리도 반삭발했다. 휴대용 샤워 티슈와 물 없이 감을 수 있는 드라이 샴푸도 준비했다. 산에 오르기 전 머물렀던 게스트하우스 사장님께서 고산병 약도 챙겨 주셨다. 하루에 반 알씩 먹으라고 하셨지만, 나는 한 알씩 먹었다. 고산병이 온다면 히말라야 트래킹은 모두 물거품이 되어버리기 때문이다. 과다 복용으로 손끝이 저릿한 부작용이 있었지만 불편함을 참고 약을 먹었다. 사장님께서 고산병 예방을 위해 무엇보다 중요한 것은 '비스따리, 비스따리'라고 조언해 주셨다. 무리하지 말고 힘들면 천천히, 천천히 올라가라고 하셨다. 천천히 올라가더라도 결국 정상에 도착하기 때문이다.

누군가는 히말라야 트래킹이 청계산 정도의 난이도라고 했다. 이 말을 듣고 방심한 것도 있었는데 실제로 걸어보니 생각보다 쉽지 않았다. 발이 무거워질 때마다 마음 속으로 '비스따리, 비스따리'를 외치며 포기하지 않고 걸었다.

내 탓이요, 내 탓이요, 나의 큰 탓이로소이다

작년 초부터 일주일에 2번 이상 꾸준히 러닝을 했다. 네팔에 오기 전 히말라야 트래킹과 비슷한 맥락으로 풀코스 마라톤에 도전했다. 한 번도 멈추지 않고 상암에서 잠실까지 42.195km를 뛰었다. 풀코스를 완주하며 체력에는 어느 정도 자신이 있었다. 하지만 히말라야에 와보니 러닝과 등산에서 필요한 체력은 완전히 달랐다. 매일 새벽 6시에 일어나 아침을 먹고 7시에 트래킹을 시작했다. 하루에 평균 6시간을 걸었다. 풀코스 마라톤을 뛴 것이 회복되지 않아 후유증도 있었다. 걷기 시작할 때 발바닥과 무릎에 약간의 통증이 느껴졌다. 다행히 2~3일 지나고 나니 뭉친 게 풀렸는지 통증은 거의 사라졌다. 다시 군대에 온 것 같은 기분이 들었다.

트래킹 코스에서 가장 힘든 구간은 계단이었다. 평지인 산길은 걸을만했다. 미리 준비해 온 오디오북을 듣기도 하고, 주변 경치도 둘러보며 걸었다. 아직 고도가 높지 않은 곳은 우리나라 산과 모습이 비슷했다. 울창한 나무들이 많아 초록초록한 풍경은 눈을 편안하게 해주었다. 조금 다른 점이 있다면 산 위인데도 소가 많았다. 소들은 산등성이 곳곳에서 한가롭게 풀을 뜯어먹고 있었다. 네팔은 힌두교의 나라로 소를 숭배한다. 소들이 오면 사람이 먼저 비켜준다. 사람보다 소들이 더 자유로워 보였다. 계곡이 보이면 한 번씩 손을 담구기도 했다. 계곡물은 얼음장처럼 차갑고 깨끗했다. 평평한 길을 걷다 계단이 나오면 그때부터 고난이 시작되었다. 히말라야를 위해 등산 스틱을 준비했다. 포터인 비말이 처음이라 어리버리하던 나에게 사용법을 알려줬다. 얇고 가벼운 등산 스틱이지만 이게 없었다면 수많은 계단을 오르지 못했을 것이다. 하루 2만 개의 계단을 오르다 보면 나중에는 등산 스틱과 혼연일체가 된다. 두 발로 걷는 것이 아니라 등산 스틱을 잡은 손과 함께 사족보행으로 계단을 오르게 된다.

포터는 트래커의 짐을 들고 동행하는 사람을 말한다. 네팔에서 포터는 시급이 높은 직업이다. 내 짐을 들어주는 가이드 겸 포터 비말은 31살 네팔 청년이다. 게스트하우스 사장님께서 매우 성실한 친구라고 소개해 주셨다. 결혼할 자금을 모으기 위해 내려온 지 이틀 만에 또 ABC에 올라간다고 했다. 경력이 오래돼서인지 길 위에 아는 사람들이 많았다. 조용한 성격이라 말은 별로 없었지만, 필요한 것을 먼저 챙겨주는 센스가 있었다. 비말은 나보다 키도 작고 왜소했다. 하지만 본인 덩치만 한 등산 가방을 메고 산을 올랐다. 등산 스틱도 없이 뚜벅뚜벅 올라간다. 비말은 항상 나보다 앞서 걸었고 나를 돌아봐 주었다. 트래킹 초반, 비말은 경험이 많아 힘들지 않을 것이라고 생각했다. 그런데 시간이 지날수록 비말도 조금씩 지치는 모습이 보였다. 여전히 나보다 앞장서서 걸었지만 올라가는 속도가 점점 느려졌다. 어떻게 보면 비말도 나와 같은 직장인이었다. 힘들지만 참고 오르는 것이었다.

마라톤에는 DNF라는 말이 있다. 'Did not finish'라는 말의 약어이다. 풀코스 마라톤은 버스가 코스를 함께 이동한다. 중간에 포기하는 사람들을 태워 도착지로 이동해야 하기 때문이다. 처음 뛰는 마라톤이라 멈추지 않고 완주하는 것만 생각했다. 무라카미 하루키의 '달리기를 말할 때 내가 하고 싶은 이야기'에서 읽은 것처럼 적어도 끝까지 걷지는 않았다고 말하고 싶었다. 출발할 때부터 신발이 모두 젖을 만큼 비가 많이 왔다. 비 오는 날에 뛰는 것도 처음이었다. 가벼운 러닝화를 신었지만 시간이 지날수록 발은 무거워졌다. 35km 지점을 넘어가니 다리가 더 이상 올라가지 않았다. 팔을 앞뒤로 휘두르면 다리가 따라 올라온다. 10km를 팔치기로 꾸역꾸역 뛰었다. 결국 5시간 만에 피니시 라인을 통과할 수 있었다.

마라톤을 완주하면 엄청난 성취감을 느낄 수 있다. 하지만 잠깐의 성취감 이후 '다시 5시간을 달릴 수 있을까? 이 고통을 또 버틸 수 있을까?'라는 두려운 마음이 들었다. 함께 완주한 지인과 대화를 나누며 마음을 진정시켰다. 지인이 말했다. '마라톤 선수들은 2시간이면 42.195km를 완주한다. 그 말은 2시간만 힘들다는 것이다. 우리는 5시간 동안 힘들었다. 5시간이나 힘들었던 이유는 우리의 준비 부족 때문이다.' 완벽하게 맞는 말이었다. 평소 장거리 훈련도 하고, 트랙에서 좀 더 연습했다면 지금보다 빨리 뛰었을 것이다. 5시간이나 힘들었던 것은 완벽하게 내 탓이었다. 지인과 앞으로의 훈련 계획을 논의했다. 다음 도전에는 4시간 만에 완주하겠다는 목표도 세웠다.

　　마라톤과 달리 트래킹은 DNF가 없다. 되돌아갈 수 없기 때문에 앞으로 나가야만 한다. 그런 면에서 마라톤보다 히말라야 트래킹이 훨씬 더 가혹한 도전이었다. 포기할 생각은 없었기에 힘들어도 가파른 계단을 올랐다. 힘들다는 생각이 떠나질 않았지만 지금 내가 힘든 것은 준비가 부족해서라고 결론지었다. 항상 나에게서 원인을 찾아야 한다. 환경이나 다른 사람을 탓하게 되면 내가 바꿀 수 있는 것이 없어진다. 내가 바꿀 수 없다는 것은 스스로 원하는 결과도 만들 수 없다는 말이다. 중요한 것일수록 문제가 생기면 내 탓을 해야 한다. 내 탓이어야 해결할 수 있는 방법도 스스로 찾을 수 있기 때문이다.

　　수많은 계단을 오르며 힘들었던 것은 온전히 준비가 부족했던 내 탓이었다.

　　내 탓이요, 내 탓이요, 나의 큰 탓이로소이다.

행복은 마음먹기 나름

히말라야 트래킹 코스 곳곳에는 롯지라고 불리는 숙소들이 있다. 롯지에서는 식사와 음료를 판매하고 숙박할 수 있는 방도 제공한다. 고도가 낮은 곳의 롯지들은 시설이 좋았다. 방 안에 화장실도 있고 핫 샤워도 가능했다. 추일레에서 묵었던 레인보우 롯지가 가장 기억에 남는다. 추일레는 고도 2,000미터가 넘는 곳인데 '산속에 이런 건물이 있을 수 있나'라는 생각이 들 정도로 롯지 규모가 컸다. 초록색 지붕의 벽돌 건물이 주변 산세와 어우러져 전체적인 풍경이 아름다웠다. 해가 질 때면 주황색 햇빛을 붉은 벽돌이 반사하는데 유럽의 오래된 건물처럼 느껴졌다. 서울 호텔만큼 편의성이 좋은 것은 아니다. 그래도 한 발짝만 나가면 마당에서 볼 수 있는 일출과 일몰, 밤하늘의 빽빽한 별들이 있었다. 도시에서 볼 수 없는 풍경들은 부족한 편의성을 상쇄시켜 주었다.

추일레의 레인보우 롯지 전경

    정상에 가까워질수록 롯지의 시설은 열악해진다. 실외와 실내의 온도가 똑같은, 바람만 막아주는 방에서 잠을 자야 한다. 난방이 안 될뿐더러 고도가 높아지면 일교차도 커서 체감 온도는 더욱 낮아진다. 고도 3,000미터 이상으로 올라가면 샤워도 하지 말라고 한다. 체온이 떨어지면 고산병에 걸릴 가능성이 커지기 때문이다. 만약 고산병이 시작되면 두통이나 구역질 증세가 나타나는데 심하면 사망까지도 이를 수 있다. 트래킹에서 가장 무서운 존재 중 하나이다. 고산병을 대비하기 위해 잠잘 때도 보온에 신경 써야 한다. 날진 물통이 여기에서 빛을 발한다. 날진 물통은 뉴욕에서 만들어진 브랜드인데 이번에 처음 알게 되었다. 플라스틱이라 가볍지만 내구성이 좋아서 잘 깨지지 않는다. 백패킹이나 트래킹을 하는 사람들은 한 개씩 가지고 다니는 필수 아이템이다. 평소 추위를 많이 타는 편이라 걱정이 많았는데 날진 물통이 큰 도움이 되었다. 자기 전 뜨거운 물을 가득 받은 물통을 침낭에서 안고 자면 새벽까지 따뜻함이 유지된다. 발 쪽에 핫팩까지 터뜨려주면 웬만한 추위에는 끄떡없이 깊은 잠을 잘 수 있었다.

고도가 높아질수록 시설과 반대로 물가는 올라간다. 똑같은 콜라를 마셔도 가격이 점점 비싸진다. 데우랄리를 지나면 가격은 더 비싸지만 코카콜라가 아닌 네팔 콜라를 판매한다. 아무래도 원가 절감을 위한 선택인 것 같다. 아무리 가격이 비싸도 포기하지 못한 것이 하나 있었다. 바로 신라면이다. 히말라야에 오기 전까지 시원한 바람이 부는 한강 편의점에서 먹었던 라면이 인생 최고의 라면이었다. 하지만 히말라야에서 순위가 바뀌었다. 3일차까지 고된 트래킹을 마치고 저녁에 신라면을 먹었다. 롯지 하루 숙박비와 맞먹는, 한국 돈으로 환산해도 만원 정도의 가격이었지만 절대 후회하지 않는다. 며칠간 타지에서 고생하다 만난 고향의 맛이랄까. 그동안 롯지에서 먹었던 음식들이 채워주지 못했던 매콤함을 느낄 수 있었다. 그때의 맛은 몇 개월이 지난 지금까지도 잊을 수 없다. 제품을 판매하려면 가격보다 소비자들이 경험하는 가치가 중요하다. 가치가 가격보다 크다면 구매자 입장에서는 합리적인 소비이다. 값비싼 신라면이었지만 나에게는 매우 합리적이었다. 이번 네팔 여행에서 가장 맛있었던 음식은 아이러니하게도 신라면이었다. 한국에서는 언제든지 먹을 수 있는 흔한 신라면이다. 히말라야에서 신라면을 먹었던 저녁 시간은 전체 여행을 통틀어 세 손가락 안에 드는 행복한 순간이었다. 아 신라면 하나에 이렇게 행복하다니!

도반에서 데우랄리로 넘어가는 코스에는 고도 2,900미터의 히말라야 카페가 있다. 말만 카페가 아니라 진짜 커피 머신을 갖춘 곳이다. 바리스타도 있어서 라테를 시키면 라테 아트로 하트도 그려준다. 커피는 맛도 중요하지만 카페의 분위기도 중요하다. 사람들이 분위기나 전망 좋은 카페를 선호하는 이유이다. 나는 커피 전문가가 아니기에 히말라야 카페의 커피 맛을 평가하기는 어렵다. 하지만 히말라야 설산이 눈앞에 펼쳐진다면 커피의 맛이 배가 된다. 히말라야 봉우리를 눈에 담으며 마시는 아이스 아메리카노 또한 평생 잊지 못할 맛이었다.

좌 : 히말라야 카페, 우 : 히말라야 카페에서 마시는 아이스 아메리카노

롯지는 트래커들에게 스쳐 지나가는 숙소지만, 네팔 사람들에게는 삶의 터전이다. 생각보다 젊은 사람들이 운영하는 롯지가 많았다. 심지어 롯지에 사는 어린아이들도 있었다. 처음에는 어린 아이들이 조금 불쌍하다는 마음이 들었다. 한창 많은 경험을 해야 할 나이인데 산속에 갇혀 산다고 생각했기 때문이다. 하지만 가까이에서 본 아이들은 누구보다 밝은 표정을 가지고 있었다. 아이들뿐만 아니라 롯지를 관리하는 젊은 친구들도 모두 즐거운 얼굴로 일하고 있었다. 그 모습을 보면서 내가 함부로 그들의 행복을 평가했다고 반성하게 되었다. 내가 그들이 아니고, 그들도 내가 아니다. 각자의 행복을 동일한 기준으로 평가하는 것은 맞지 않다고 생각했다. 생각이 거기까지 흘러가니 나의 행복에 대해서도 다시금 정리할 수 있었다. 행복은 다른 사람의 잣대가 아닌 나의 기준으로 정의하는 것이다. 내가 행복하기 위해서, 어떤 것들이 나를 행복하게 하는지 자신을 돌아보는 게 중요하다. 밖이 아닌 내 안에서 행복을 찾고, 사소한 일에도 감사하며 더 많은 행복을 느껴야겠다고 다짐했다.

행복한 외로움

히말라야 카페에서 커피를 한잔하고 데우랄리로 출발했다. 데우랄리는 고도가 3,000미터를 넘어간다. 주변 풍경은 울창한 나무가 많은 초록색에서 설산이 보이는 하얀색으로 점점 색깔이 바뀐다. 조금씩 ABC에 가까워졌다는 느낌이 든다. 목표가 얼마 안 남았다는 생각에 마음이 설레기 시작했다. 데우랄리부터는 기온이 급격하게 떨어진다. 롯지에 도착해서 구스 바지와 두꺼운 패딩을 처음으로 꺼내 입었다.

데우랄리에서 하루 숙박을 하고 최종 목적지인 ABC로 향했다. 중간 지점인 MBC(Machapuchare Base Camp)로 가는 길은 또 한 번 풍경이 바뀐다. 영화에서 보던 히말라야의 모습이다. 세계에서 열 번째로 높은 약 8,000미터의 안나푸르나가 눈앞에 펼쳐진다. 안나푸르나에는 6,000미터가 넘는 봉우리가 30개 정도 모여 있다. 그래서 산의 무리라는 의미인 산군으로 불린다. 수많은 봉우리와 만년설을 보고 있으면 대자연의 위엄이 절로 느껴진다. MBC 롯지에서 잠시 휴식을 취하며 네팔 콜라로 에너지를 보충했다. 최종 목적지인 ABC는 MBC에서 2시간 정도 걸린다. ABC에 가까워질 무렵 히말라야의 메인 포토 존인 ABC 보드를 만나게 된다. ABC 보드는 히말라야에서 가장 인기 있는 장소이기 때문에 모든 트래커들이 모여서 사진을 찍는다. 출국하기 전 급하게 태극기를 하나 구매했는데 이미 보드에 대형 태극기가 걸려있었다. ABC 보드에서 사진을 찍을 때가 트래킹의 성취감이 최고조에 달하는 순간이다. 이거 보려고 며칠을 고생하면서 걸었나 보다.

좌 : ABC 보드에서 찍은 사진, 우 : ABC 가는 길에 잠시 쉬는 모습

　히말라야에 오기 전 트래킹 정보를 공유하는 커뮤니티에서 많은 도움을 받았다. 약 6만 명이 활동하는 카페인데 실시간으로 글이 올라와서 히말라야에 오는 한국인들이 많다고 생각했다. 트래킹 출발 전에는 한국인 사장님이 운영하시는 게스트하우스에 묵었다. 그곳에는 한국인들만 있었기 때문에 낯선 곳에 왔다는 느낌은 없었다. 그런데 트래킹을 시작하고 나니 신기하게도 한국인을 한 명도 만날 수 없었다. 트래커들은 인도, 유럽 사람이 대부분이었고 중국인도 몇 명 있었다. 인도인들이 네팔 사람처럼 보여서 처음에는 국내 여행으로 히말라야에 많이 온다고 생각했다. 하지만 롯지에서 인도 국가대표 축구 유니폼을 자랑하는 모습을 보고 네팔 사람이 아니라는 것을 알게 되었다. 유럽 사람도 많았는데 5~60대 정도로 보이는 분들이 대부분이었다.

최종 목적지인 ABC에는 히말라야에 온 모든 사람이 모이기 때문에 1인실이 없다. 어쩔 수 없이 혼숙해야 한다. 저녁 늦게 도착한 트래커들은 주방 벤치 의자에서 자야 할 정도로 사람이 많았다. 나는 정오쯤 도착했기에 주방에서 가장 가까운 4인실을 쓸 수 있었다. 프랑스 아주머니 한 분, 스페인 노부부 그리고 나까지 4명이 같은 방을 썼다. 프랑스 아주머니는 영어를 못하셨지만 스페인 아저씨는 3개 국어가 가능했다. 나와는 영어, 아내와 스페인어, 아주머니와는 프랑스어로 대화를 했다. 여분의 핫팩이 있어서 자기 전에 하나씩 나눠드렸다. 다음 날 아침 코리안 핫팩 판타스틱이라는 극찬을 들을 수 있었다. 트래킹을 시작하고 거의 처음 나눈 대화였다. 사소한 칭찬이었지만 평소보다 뿌듯함이 컸다.

이번 트래킹에서는 철저하게 혼자만의 시간을 보내려고 했다. 회사 생활은 늘 누군가와 관계를 맺고 있어야 한다. 10년 넘게 회사에 몰입했기에 휴가를 가더라도 항상 업무 생각을 끊을 수 없었다. 히말라야에 있는 순간만큼은 그런 것들로부터 완전히 벗어나고 싶었다. 포터 비말은 나와 성향이 비슷했다. 물어보진 않았지만 아마 MBTI가 I였을 것이다. 음식 주문할 때를 제외하고 나에게 말을 걸지 않았다. 한국인들도 없어서 말할 일은 더욱 없었다. 산속에서는 핸드폰도 잘 터지지 않는다. 한국에 있는 지인들과 연락하는 것도 어려웠다. 계획했던 대로 세상과 단절된 상황을 연출할 수 있었다. 조금은 외로웠지만 의도했기에 충분히 행복한 외로움이었다.

다만, 트래킹하는 7일 중 5일 정도만 행복했다. 6일째가 되니 사람이 그리워지고 말도 하고 싶어지더라. 인간은 어쩔 수 없는 사회적 동물인가 보다.

히말라야는 하산할 때 더 아름답다

ABC 롯지는 여태까지 묵었던 곳 중 가장 사람이 많았다. 저녁이 되면 모든 트래커들이 주방에 모인다. 대부분 담소를 나누거나 카드 게임을 한다. 인도 사람들은 의식을 치르는 것 같은 노래를 부르기도 했다. 저녁은 히말라야 소울푸드 신라면과 모모를 먹었다. 모모는 만두와 비슷한 음식인데 조금 퍽퍽한 것 빼곤 나름 먹을만했다. 후식으로 블랙커피를 마시고 밖으로 나왔다. 공기가 맑아서인지 밤하늘의 별이 정말 많았다. 별구경을 잠깐 하고 날씨가 추워 방에 들어와 잠을 청했다.

밤새 스페인 아저씨의 코 고는 소리에 잠을 설쳤다. 핫팩을 코골이로 갚으시다니. 잠이 부족해 피곤했지만 일출을 보기 위해 일찍 일어났다. 아침을 먹고 주변을 산책하며 사진을 찍었다. ABC는 막 찍어도 화보 같은 사진들이 나온다. 주위를 조금 둘러보고 하산을 시작했다. 목표했던 ABC에 도착하고나니 여유가 생겼다. 마음에 여유가 생기니 시야도 넓어지는 기분이다. 언제 다시 올 수 있을지 모르기 때문에 주변 풍경들을 최대한 눈에 꾹꾹

담고 싶었다. 올라갈 때는 ABC라는 목표만 생각하며 걸었고, 체력도 많이 빠진 상태였다. 내려올 때는 풍경에 집중하기 위해 트래킹 내내 쓰고 있던 선글라스도 벗고, 이어폰도 빼고 걸었다. 하얀색 구름과 설산이 맞닿아 있는 모습, 그 구름 속에서 빛나는 태양이 아름다웠다. 해가 뜨거나 질 때면 온통 하얀색이었던 산꼭대기가 시럽을 뿌린 것처럼 붉게 변한다. MBC로 내려가는 길은 갈대가 많아, 황색의 언덕들이 쓸쓸한 느낌도 들었다. 아침부터 걷기 시작해서 총 7시간을 걸어 목적지인 시누와에 도착했다. 올라가는 것보다 하산하는 것이 훨씬 수월했다. 다만, 내려올 때는 긴장이 풀리기 때문에 발에 힘을 꽉 주고 다치지 않도록 걸어야한다. 올라갈 때는 나의 성취를 위한 마음으로 가득 차 있었다. 내려올 때는 아름다운 풍경을 보며 가족과 주변의 안녕을 기원하며 걸었다.

좌 : 안나푸르나 산군, 우 : ABC 롯지 주변 풍경

일출, 일몰 때 하얀 설산이 붉게 물드는 모습

시누와에서 하룻밤을 보내고, 마지막 날의 트래킹을 시작했다. 갑자기 아쉬운 마음이 들었다. 회사에 있을 때는 휴가 마지막 날이 아쉬웠던 적이 없었는데, 퇴사한 지금 이런 마음이 드는 것이 신기했다. 아무래도 회사 밖으로 나가기 전 좀 더 시간을 갖고 싶은 마음 때문인 것 같았다. 앞으로 마주할 현실이 두렵지 않다면 거짓말이다. 하지만 히말라야에서 얻은 에너지로 잘 해보겠다는 각오를 다졌다. 오늘은 지누단다까지 내려가서 지프를 타야한다. 비말은 이제 얼마 안 남았다고, 오전에 이지 코스만 내려가면 모든 트래킹이 끝이라고 얘기해 주었다. 이지 코스라길래 방심하고 있었는데 3시간 반 동안 계단만 오르는 코스였다. 마지막 힘을 내게 하기 위한 선의의 거짓말이었던 것 같다. 다시 한번 등

산 스틱과 한 몸이 되어 사족보행으로 마지막 날을 마무리했다.

트래킹을 다녀온 사람들의 이야기를 보면 비나 눈 때문에 고생한 사람들이 많았다. 네팔 사람들은 언제 날씨가 좋아지냐는 질문에 'Only God knows'라고 대답한다. 참 네팔 사람다운 답변이라는 생각이 들었다. 나도 혹시 그런 경우가 생길까 봐 하루 정도 여유를 두고 일정을 짰다. 다행히 날씨 요정은 내 편이었다. 트래킹 내내 날씨가 너무 좋았다. 햇볕이 뜨거울 정도로 구름 한 점 없이 맑아서 큰 변수 없이 트래킹을 마무리할 수 있었다.

지누단다에 도착해서 비말과 함께 지프를 타고 포카라로 출발했다. 지누단다도 꽤 고도가 높은 곳이다. '여기까지 어떻게 차가 올라오지?'라는 궁금증이 들 정도인데 지프는 경사진 비포장도로로 잘도 내려간다. 다만, 지면의 요철이 엉덩이에 고스란히 전해지고, 바이킹급의 덜컹거림을 견뎌야 했다. 장장 2시간 반 동안 지프를 타고 처음 출발했던 포카라의 게스트하우스에 도착했다. 아, 드디어 트래킹이 끝났구나!

며칠 동안 샤워를 못 해서 거지꼴이었다. 짐을 올려놓고 바로 샤워부터 했다. 샤워 후 짐을 정리하고 고기와 소주를 먹었다. ABC를 정복한 후, 소주를 곁들인 저녁 시간은 히말라야에서 두 번째로 행복한 순간이었다. 네팔에서만 파는 '산'이라는 소주를 마셨다. 귀엽게 생긴 플라스틱병이었는데 맛은 한국 소주와 비슷했다. 소주를 한잔하니 모든 피로가 풀리는 기분이었다. 저녁을 든든하게 먹고 숙소 앞 페와 호수를 산책했다. 포카라는 네팔의 휴양지라 여행객도, 볼거리도 많았다. 혼자 거리를 구경하다가 금방 피곤해져서 숙소에 돌아와 하루를 마무리했다.

히말라야에 한 번도 안 간 사람은 있지만,
한 번만 가는 사람은 없다

네팔 국내선은 변수가 많기 때문에 하루 먼저 카트만두로 이동했다. 11시 비행기였는데 아무 예고 없이 3시간이 지연되었다. 이 정도는 이제 아무렇지도 않았다. 2주 만에 네팔에 적응한 것 같아 감회가 새로웠다. 카트만두로 넘어와 숙소에 짐을 풀고 시내를 구경했다. 카트만두는 네팔의 수도지만 분위기가 삭막하다. 로컬들이 추천하는 피자집에서 저녁을 먹고 기념품을 구경했다. 작년부터 명상에 관심이 많아 네팔에서 유명하다는 풀문 싱잉볼을 하나 구매했다.

네팔에 가기 전 카페에 올라온 후기들을 거의 다 읽었다. '히말라야에 한 번도 안 간 사람은 있지만, 한 번만 가는 사람은 없다.' 많은 사람들이 똑같은 얘기를 하고 있었다. 돌아오는 비행기에서 곰곰이 생각해 봤다. 신라면은 너무 맛있었고 히말라야의 설산도 굉장히 멋있었다. 하지만 불편한 롯지에서, 씻지도 못하고 추위에 떨며 지내야 하는데 히말라야에 또 오고 싶을까? 그 당시 나의 대답은 'No'였다. 히말라야는 한 번 와봤으니 다른 곳을 가야겠다는 생각이었다.

히말라야 트래킹을 마치고 한국에 돌아온 지 3개월이 지났다. 그리고 히말라야에 다녀온 이야기를 글로 쓰고 있다. 인간은 망각의 동물이다. 어차피 모든 것을 기억할 수 없기 때문에 나쁜 것보다 좋은 기억, 좋은 감정만 뇌에 남긴다고 한다. 히말라야에서 네 발로 올라가던 끝없는 계단, 난로 앞에서 마시던 진저 레몬티, 푼힐 전망대에서 벌벌 떨면서 봤었던 일출이 아직도 생생하다. 글을 쓰다 보니 히말라야가 조금씩 그리워지는 것은 왜일까? 벌써 히말라야의 기억이 미화된 것일까?

한국에 돌아와서 일주일간 두 아이와 시간을 보냈다. 혼자 히말라야에 다녀왔기 때문에 거의 독박으로 육아를 담당했다. 이제 두 돌, 돌인 사랑하는 우리 딸과 아들을 한꺼번에 돌보는 것은 굉장히 힘든 일이다. 히말라야 트래킹? 그건 연년생 독박 육아에 비하면 힘든 것도 아니더라. 10년 넘게 회사 다니느라 고생했다고, 안전하게만 다녀오라고 쿨하게 히말라야 트래킹을 보내준 사랑하는 아내에게 감사 인사를 전하며 나의 이야기를 마무리한다.

오늘도 학교로 출근합니다

어나오

프롤로그

　나는 지금까지 중학교에서 국어 교사로 8년 6개월을 근무했다. 중간에 육아 휴직 기간 3년 6개월을 합치면 교사로 산 지 12년이다. 2012년에 부푼 마음으로 첫 학교에 인사하러 갔던 날이 아직도 생생하다. 그 이후로 두 학교에서 다양한 아이들을 만나고, 내 안의 다양한 선생님을 만났다. 아직도 나는 진짜 '나 다운' 선생님이 어떤 모습인지 찾아가는 중이다. 이 글은 소심한 어떤 아이가 선생님의 꿈을 꾸고, 그 꿈을 이뤄서 학교에 간 이야기이다. 그렇게 간절하게 꿈꿨던 선생님이었지만, 막상 학교에서 겪는 현실은 꿈처럼 낭만적이지는 않았던 이야기를 담았다.

1

어린 시절(꿈을 정하다)

"으이그, 이것도 제대로 못 하냐? 넌 도대체 뭐 제대로 하는 게 없니?"

대로변에 있는 커피 자판기에서 커피를 뽑아 골목길을 조심 조심 걸어 집까지 오는 동안 커피의 반이 쏟아진 종이컵을 보고 날아온 엄마의 한 마디이다.

내 이름은 황순진. 순진하게 세상을 착하게 잘 살라고 할아버지께서 지어주신 이름. 나는 그 이름을 따라 순진하게 부모님 말씀을 잘 따르기는 했으나, 실수가 잦고 잘 덜렁대는 아이였다. 상황을 잘 파악하지 못하고, 무엇이 내게 이득이 되는지 계산할 줄 모르는 곰 같은 아이였다. 엄마로서 얼마나 답답했을까. 엄마는 '저 아이가 세상에 나가서 자기 밥그릇이나 챙겨 먹을 수는 있을까?'가 늘 걱정이었을 것이다. 그 걱정은 사실 나에 대한 '사랑'이 었지만, 표현 방식은 비난과 잔소리였고, 그것은 늘 나에게 비수처럼 꽂혔다. 그래서 나는 어렸을 때부터 눈치는 없는데, 주위 눈치를 자주 보는 아이였다. 조금이라도 실수를 하면 미움받을까 봐 전전긍긍하며, 칭찬받기 위해 열심히 노력했다.

생일이 1월이라 일곱 살에 들어간 초등학교에서도 정말 칭찬 받으려고 노력했지만, 머리가 따라주지 않았다. 구구단을 외우는 것도, 받아쓰기를 할 때 '풀밭'을 틀리지 않고 쓰는 것도 너무 어려웠다. 요즘 학교에서 하는 '기초 부진 학생 지도'처럼 정규 수업이 끝나고 교실에 남아서 공부를 했던 기억이 난다. 집에서도, 학교에서도 인정받지 못했던 초등학교 저학년 시절에는 그다지 행복했던 기억이 없다.

그랬던 나에게 천사 같은 선생님이 나타났다. 바로 3학년 담임이셨던 '황순남' 선생님. 황순남 선생님은 당신과 내가 이름이 많이 비슷해서였을까? 아니면 내가 조금만 관심과 애정을 주어도 금방 잘 따를 아이라는 것을 아셨던 것일까? 내게 따뜻한 칭찬과 조언을 많이 해 주셨다.

"조금 느려도 괜찮아. 노력하면 되는 거야. 그리고 책을 많이 읽어 보자."라는 말씀은 어두웠던 내 마음에 빛이 되어 주었다. 평소 엄마한테 조르는 일이 없었던 나는 처음으로 학원을 보내달라고 말씀드렸다. 그리고 서점에 가서 책을 사달라고 졸랐다. 지금도 제목이 기억나는 책은 '딸꼬마이'다. 이름이 따로 있지만, 딸은 인제 그만 낳으라는 의미로 '딸꼬마이'로 불리는 아이의 이야기였다. 딸이라는 이유로 차별받고, 가족 간의 불화로 늘 힘든 일을 겪지만, 끝까지 꿈과 희망을 놓지 않는 주인공을 보면서 나와 동일시했던 기억이 난다. 당시에 남동생과 차별받는다는 생각이 들어도, 속으로만 억울해하고, 부모님께 한 번도 따지지 못했던 나였다.

책을 읽으면서 공감 받고 치유된다는 느낌을 그때 받았다. 그렇게 책이라는 귀한 보물을 알려주시고, '나'라는 존재도 '괜찮은 사람'이 될 수 있다는 믿음을 심어 주셨던 선생님이 정말 고마웠다. 그리고 그때부터 장래희망을 정했다. 학생들에게 꿈과 희망을 주는 천사 같은 선생님이 되겠다고 다짐했다.

중학교에 입학하고 첫 국어 시간. 과목마다 다른 선생님이 교실에 들어와서 수업한다는 것이 그저 신기하기만 했다. '국어 선생님은 어떤 분이실까?' 궁금해하며, 교실 앞문만 바라보고 있었다. 그때 따뜻한 봄날의 향기와 함께 '진미이' 선생님께서 교실로 들어오셨다. 칠판에 '진미이' 이름을 한자로 쓰고, 뜻을 풀이해주시면서 자신을 소개하시던 모습이 생생하게 기억난다. 그리고 첫 시간부터 수업하셨는데, 시 한 편을 칠판 가득 쓰셨다. 바로 김영랑의 '돌담에 속삭이는 햇발'이었다.

돌담에 속삭이는 햇발같이
풀 아래 웃음 짓는 샘물같이
내 마음 고요히 고운 봄길 위에
오늘 하루 하늘을 우러르고 싶다

새악시 볼에 떠오는 부끄럼같이
시의 가슴 살포시 젖는 물결같이
보드레한 에메랄드 얇게 흐르는
실비단 하늘을 바라보고 싶다

차분한 목소리로 시를 한번 읊어주시고, 그다음에는 우리에게 읽어 보라고 하셨다. 그리고는 시를 외우라고 하셨다. '아니 어떻게 시를 바로 외우지? 이게 가능한가?' 의심했지만, 나는 선생님 말씀을 잘 듣는 모범생이었기 때문에 열심히 외웠다. 그리고 정말 시를 안 보고도 읊을 수 있었다. 3월의 따뜻한 봄날에 학교를 오가며 꽃들을 보면서, 봄바람을 느끼면서, 그 시를 속으로 읊고 또 읊었다. 봄날의 기운을 만끽할 수 있는 감성을 북돋아 주신 선생님이 정말 고마웠고, 국어 선생님이라는 직업이 낭만적으로 느껴졌다. 그리고 그때 나는 확실히 정했다. 선생님 중에서도 국어 선생님이 되겠노라고.

2

임용고시생 시절(꿈을 놓지 않다)

"말하는 대로 말하는 대로
될 수 있단 걸 눈으로 본 순간
믿어보기로 했지
마음먹은 대로 생각한 대로
할 수 있단 걸 알게 된 순간
고갤 끄덕였지"

사범대학 졸업 후 3년째 되는데 여전히 선생님이 되지 못한 나는 유재석의 '말하는 대로'를 들으며 독서실에 갔다. 집에서 가방을 챙겨 추리닝을 입고 독서실까지 걸어가는 그 한 걸음, 한 걸음은 희망이 되었다가 불안이 되었다가 눈물이 되었다가 다시 희망으로 바꾸는 처절한 움직임이었다. '어떻게 하면 합격할 수 있을까? 나는 선생님의 꿈을 이룰 수 있을까?'만을 생각하며 치열하게 살았던 시절이다. 대학교 4년, 졸업 후 3년까지 합쳐서 7년을 부모님께 기대면서 임용고시 공부를 해왔으니 나의 자존감은 바닥이었다. 나 자신이 부모님의 피를 빨아먹고 사는 기생충처럼 느껴졌다. 하지만 그럼에도 '선생님'의 꿈을 놓을 수가 없었다. 힘들게 트럭 운전을 하면서 내 뒷바라지를 해주시는 아빠한테 보답하는 일은 '합격'밖에 없다고 생각했다. 같은 시험에 네 번이나 떨어지는 이유를 찾기 위해 그동안의 시험지를 계속 들여다보고, 기출 문제 분석부터 다시 시작했다. 합격 수기를 계속 읽으며 나에게 맞는 공부 방법을 찾기 위해 여러 번 바꿨고, 마지막에는 전공서 한 권씩 독파하는 방법으로 공부했다. 내가 가장 잘할 수 있는 일은 '선생님' 밖에 없다는 마음으로, 물러설 곳이 없다는 마음으로 절박하게 공부했다. 그리고 그해에 합격했다. 드디어 나는 선생님의 꿈을 이뤘다.

3

첫 학교 근무 시절(혹독한 신고식)

"난 학생들에게 꿈과 희망을 주는 친구 같은 선생님이 될 거야!"

자신 있게 속으로 외치면서 첫 발령 받은 학교에 갔다. 창밖으로 바닷가가 보이는, 학생들의 가정환경이 열악한 지역에 있는 작은 중학교였다. 신규 교사이자, '순진'이라는 이름을 달고, 어리바리해 보이는 나에게 학교에서는 담임을 맡기지 않았다. 대신 나는 2학년 1반의 부담임을 맡았다. 2학년 아이들은 중학교에 1년을 먼저 있었다고 나의 선배인 것처럼 굴었고, 텃세를 부렸다. 하지만 곧 나는 자기들의 적이 될 수 없다고 판단했는지 금방 나에게 친근하게 굴었다. 그리고 그 친근함은 곧 독이 되었다. 당시 2학년 1반 담임 선생님은 나이가 좀 있으셨고, 아이들과 소통이 조금 안 되는 분이었다. 그래서 아이들은 담임 선생님보다 나에게 더 많은 이야기를 쏟아냈고, 그 이야기 중에는 담임 선생님에 대한 불만이 많았다. 현명하지 못했고, 아이들에게 사랑받고 싶었던 나는 담임 선생님과 아이들 사이에서 아이들 쪽에 더 가까운 위치에 있었다. 교실 복도를 지나가면서 수업 시간에 나와 아이들이 주고받는 대화를 들으면서 그 선생님은 얼마나 기분이 나쁘셨을까. 지금 생각해도 정말 죄송하다. 그분은 지병이 있으셨는데, 2학기 중간에 갑작스럽게 세상을 떠나셨다. 학교 건물 뒤쪽 구석에 쭈그리고 앉아 한참을 울었던 기억이 난다. 울면서 "죄송합니다. 죄송합니다. 정말 죄송합니다"를 계속 말하면서 용서를 빌었다. 그 이후로 절대로 아이들과는 다른 교과 선생님에 관해 부정적인 이야기를 나누지 않겠다고 다짐했고, 지금까지 지켜오고 있다.

그렇게 다사다난했던 신규 첫 1년을 보내고, 2년째가 되었을 때 사내 연애도 시작했다. 1년을 쫓아다닌 지금의 남편과 교제하기로 마음먹고, 학교에서는 비밀 연애로 하려 했었다. 하지만 아이들의 눈은 귀신 같았다. 금방 들통이 났고, 당시 학생부장이었던 지금의 남편은 나를 위해서 아이들을 말 그대로 쥐 잡듯이 잡았다. 2학년 2반 담임을 맡았던 나는 무서운 중2병에 걸린 아이들과 씨름하고 있었기 때문이다. 여자아이들이 일탈을 시작하면서 학교에 매일 지각하고, 학교에 와서도 사고를 치기 시작했다. 나는 그 여자아이들을 휘어잡을 카리스마도, 기술도 없었기에 그저 상담하면서 안아주려고만 했다. 그랬더니 반에 남자 아이들이 "선생님은 남녀 차별이 심하다"며 반항을 하기 시작했다. 말 그대로 총체적 난국이었다. 남자아이들이 내 앞에서 욕을 아무렇지 않게 내뱉었다. 나는 그 욕을 못 들은 척하고 있었는데, 어디선가 지금의 남편이 기사처럼 나타나 사정없이 그 남자아이의 등짝을 때렸다. 지금으로부터 10년 전이었고, 그 아이가 마음에 담아두지 않고 잘 넘어갔으니 망정이지, 지금 같았으면 뉴스에 날 일이다. 수업은 수업대로 엉망, 생활지도는 생활지도대로 되는 것이 없는 한 해였다. 그렇게 2년 동안 혹독한 신고식을 치르고, 남편과 혼인신고를 하면서 다른 학교로 이동하게 됐다.

4

두 번째 학교 근무 시절(안되는 걸 하려다 혼나다)

"나는 카리스마가 넘치는 선생님이 돼서 아이들을 강하게 휘어잡을 거야!"

남편이라는 든든한 방패가 없었기에 나는 스스로 갑옷을 챙겨 입고, 개선장군처럼 당당하게 두 번째 학교를 들어갔다. '나름의 2년 노하우가 있으니 나는 더 이상의 신규교사가 아니다!'라는 말도 안 되는 자신감을 느끼고 1학년 3반 담임 교실로 들어갔다. 그런데 나보다 더 자신감과 도전정신이 넘치는 아이들이 교실에 있었다. 장난기도 심하고, 1학년 같지 않게 선생님들을 간 보면서 행동하는 아이들이었다. 나를 간 보는 순간, 바로 싱겁다고 판단했던 것 같다. 그렇지만 나는 굴하지 않았다. 아이들에게 고래고래 소리를 지르면 교사의 권위가 바로 서고, 무릎 꿇게 해서 벌을 세우면 나를 무서워할 것으로 생각했다. 하지만 내 생각과는 전혀 반대 방향으로 아이들의 반항은 더 심해지기만 했다. 정규 수업이 다 끝나고 청소 당번들이 모두 도망가 버린, 지저분하고 텅 빈 교실에서 통화가 되지 않는 전화기만 붙들고 있는 내 모습이 초라하기만 했다. 끝까지 아이들을 잡아 보겠다고 대걸레를 들고 허벅지를 때리려고 했으나, 차마 세게 때리지 못하고 살살 때리는 바람에 1년 내내 놀림감이 되었다. 그제야 깨달았다. '내가 소리 지르고 혼낸다고 해서 아이들을 휘어잡는 선생님이 될 수는 없겠구나.' 나만의 교육 방식을 재정립해야겠다는 생각이 들었다.

세 번째 학교 근무 시절(크게 혼나고 성장하다)

"어차피 카리스마는 안 되고, 따뜻함으로 아이들을 지도하자."

나의 이 다짐을 하늘이 들으셨는지, 얼마나 따뜻할 수 있는지 시험해보고 싶으셨는지, 세 번째 학교에 가서 맡았던 반에 마음이 아픈 아이들이 많았다. 1학년 담임을 맡았는데, 결벽증, 공황장애, 우울증, 피해의식… 다양한 마음의 병을 가진 아이들이 반에 있었다. 나는 수업을 하고, 수업이 없을 때에는 마음 아픈 아이들의 상담을 하며, 하루를 쉴 틈 없이 보냈다. 그런데 하필이면 마음이 아픈 아이 둘 사이에 오해가 발생했다. 미숙했던 나는 마음이 덜 아픈 아이에게 좀 이해하고 참으라고 구슬렸다. 하지만 참는 것도 한계가 있었기에 결국 참던 아이가 폭발했다. 상황이 안 좋게 돌아가자 나는 이번에는 상대방 아이에게도 이해하고 배려하자고 설득했다. 갑자기 태도가 변한 나에게 서운했던 아이는 집에 가서 부모님께 나에 대해 부정적으로 말했다. 첩첩산중이었다. 그 아이의 부모님은 나에게 계속 문자를 보내면서 담임으로서의 자질 부족에 대해 지적하였다. 교장실에도 찾아왔고, 교육청에 민원도 넣었다. 그 와중에 나는 계속 교실에서 아이를 보면서 사과도 하고, 상담도 하고, 끝나지 않는 감정싸움을 해야 했다. 나는 지쳤고, 학교에서 나만 빠지면 다 해결될 것 같다는 생각에 휴직하기로 결정했다. 그런데 그때 연륜이 있으셨던 선생님께서 다가와 "내가 담임을 대신해 줄 테니 그 아이와 최대한 마주치지 말고 학교는 계속 다녀라. 이대로 휴직해서 집에 들어가 있으면 우울증 걸린다. 교직 생활 계속하려면 이 위기도 이겨내야 한다."라고 말씀해 주시며 내 손을 잡아주셨다. 몸도 마음도 차가웠던 가을날 학교 복도에서 나는 난로같이 따뜻한 그 선생님 품에 안겨 펑펑 울었다. 덕분에 나는 담임에서 빠진 채로 학년말까지 학교에 다녔고, 마음을 잘 다스릴 수 있었다.

　　다음 해에 담임을 최대한 빼달라고 학교에 사정했으나, 받아들여지지 않았다. 어쩔 수 없이 나는 약간의 두려움과 함께 1학년 아이들의 담임을 또 맡았다. 다행히 하늘이 도와주셔서 반장이 된 남학생의 도움을 많이 받았다. 경력 있는 선생님께서 '반장이 중요하다'라고 말씀하시는 것을 전에는 이해하지 못했었다. 결국은 담임이 다 해야 하는 일인데, 반장을 잘 뽑는 일이 뭐가 그렇게 중요한가 했었다. 하지만 경험을 통해 나는 깨달았다. '반장은 정말 중요하다!' 당시 반장이 된 아이는 소설 '우리들의 일그러진 영웅'의 '엄석대'까지는 아니지만, 반 아이들을 잘 통솔하는 지도력이 있는 아이였다. 생활지도 부분에서 엄하지 못했던 나의 부족한 부분을 채워주며 같이 반을 잘 이끌어 갔다. 하지만 얻는 것이 있으면 잃는 것도 있는 법. 그 카리스마가 넘쳤던 아이는 속으로는 자격지심을 숨기고 있었기에, 가끔 불뚝 튀어나오는 분노를 내가 잘 가라앉혀야 했다. 지금 생각하면 좀 이상한 것 같지만, 당시 나는 반장과 반 아이들을 중재하는 위치에 있었다. 나는 지난해의 잘못을 반복하지 않기 위해 반장과 나머지 반 아이들 사이에서 어느 편도 아닌 중립적인 위치를 잘 지키고자 노력했다. 반장인 아이의 힘든 마음을 다독이려 노력했고, 나머지 아이들의 억눌린 마음도 헤아려 주려고 노력했다. 다행히 1년 동안 탈 없이 잘 지나갔다.

대외적인 학교생활은 큰 문제가 없어 보였지만, 사실 나의 내면은 좀 삐뚤어져 있었다. 지난해의 힘들었던 내 마음에 보상을 해주고 싶었던 것일까. 아니면 결국 내 잘못이라는 것을 인정하게 될까 봐 내 마음을 제대로 보고 싶지 않았던 것일까. 나는 혼자 있는 시간이 되면 넷플릭스, 유튜브 등 드라마나 자극적인 영상만 찾으러 다녔다. 깊이 있는 생각, 내면과의 대화 따위는 없었고, 쏟아지는 영상에만 노출되어 있었다. 그렇게 귀한 시간을 물처럼 쓰던 어느 날에 갑자기 내면의 소리가 들렸다. '이렇게 사는 건 아니야. 정신 차려.' 사실은 그 목소리가 먼저였는지, 유튜브에서 우연히 본 '김창옥'님의 강연 영상이 먼저였는지 헷갈린다. 분명한 것은 그때부터 '김창옥', '김미경', '켈리 최', '하와이 대저택' 순으로 유튜브를 보면서 '어떻게 살아야 할 것인가?'에 대한 생각을 하고, 나의 내면과 대화를 하기 시작했다.

그리고 깨달았다. 내가 지난해에 겪었던 일 모두 '그 아이'와 '그 아이의 부모님'의 탓으로 돌리며 내 잘못은 없다고 생각하는 피해의식에 사로잡혀 있었다는 것을. 그리고 내가 아이들의 생활지도에서 엄격하지 못하고, 감정적으로 대응하는 것은 자존감 부족이 원인이라는 것을.

나는 아이들이 내 말을 잘 듣지 않으면, '나를 무시한다'고 생각하며 감정적으로 대응했었다. 그리고 카리스마가 넘치는 선생님을 보면서 나는 교사로서의 자질이 부족하다고 느끼고, 우울감을 느꼈었다. 하지만 '자기 계발 공부'를 시작하면서 나 자신과 아이들에 대한 생각과 태도가 바뀌기 시작했다.

먼저, 아이들이 내 말을 잘 듣지 않는 것은 '나를 무시해서'가 아니라 '자기 생각과 감정에 충실하기 때문'이라고 생각하기 시작했다. 사춘기 아이들이 자신의 감정에 휩싸여서 나와 정상적인 대화가 불가능한 상태라고 판단되면, 잠시 거리를 두고 생각할 시간을 주기로 했다. '어디서 네가 감히!'라는 생각을 관두고, 시간이 흐른 뒤에 아이와 대화를 나누고 문제를 해결하니, 나와 아이들 모두에게 긍정적인 결과를 만들 수 있었다.

다음으로, 다른 선생님과 나 자신을 비교하는 것을 멈추게 되었다. 다른 선생님이 갖지 못한 장점이 내게 있음을 깨달았다. '아이들이 마음 편하게 이야기할 수 있고, 힘든 일이 있을 때 기댈 수 있는 사람'이라는 점은 내가 가진 강점이었다. 수업이 없는 시간에 쉬고 싶으면서도 "선생님, 힘들어요."하면서 찾아오는 아이들을 모른 척하지 못하고 이야기를 다 들어줘야 직성이 풀리는 사람이 나였다. '학교에는 카리스마를 장착하고, 아이들을 무섭게 통솔하는 선생님도 꼭 필요하지만, 나처럼 아이들의 속마음을 들어주고, 토닥여주는 선생님도 꼭 필요하지 않을까?'라고 생각했다. 이렇게 자존감이 높아지니, 아이들이 잘못했을 때에 오히려 엄하게 지도할 수도 있었다. 그동안 자존감이 낮아 아이들에게 감정적으로 화를 내거나, 아이들에게 미움받는 것이 두려워서 엄하게 혼내지 못했음을 깨달았다. 잘못한 아이를 엄하게 혼내되, 그 감정을 미움으로 계속 끌고 가지만 않으면 된다는 것을 배운 것이다.

나는 이렇게 조금씩 성장하고 있었고, 지난해에 있었던 일은 '내 잘못'이었음을 인정할 수 있었다. 그리고 그 아이를 더는 학교에서 피하지 않고, 얼굴을 마주 볼 수 있었다. 그 아이가 3학년이 되었을 때 나를 찾아와 '그때 죄송했습니다'라고 얘기했을 때, 나는 진심으로 '나도 그때 미안했다'라고 말할 수 있었다. 그리고 그 아이가 국어 문제를 물으러 오면 온 힘을 다해 가르쳐 주려고 노력했고, 자기가 쓴 글을 보여주면 나의 감상을 편지처럼 적어서 주었다. 그렇게 글을 주고받으며 서로의 상처를 보듬어 주었고, 관계를 회복할 수 있었으며, 졸업식 날에는 서로 포옹을 할 수 있었다.

나는 가장 힘들었던 시기를 거치고, 그 경험을 통해 많은 것을 배웠다. 당시 다 포기하려고 했을 때, 내 손을 잡아주신 선생님 덕분에 '사람을 살리는 것은 결국 사람'이라는 것을 배웠다. 인생의 힘든 시기를 지날 때, 남 탓을 할 것이 아니라 내 책임이라는 생각으로 적극적으로 해결해야 함을 배웠다. 이미 일어난 일을 바꿀 수는 없지만, 그에 대한 태도는 내가 결정할 수 있음을 배웠다. 그렇게 배우고 성장하면서 나는 '나'다운 선생님의 모습을 찾아가고 있었다.

에필로그

나는 자기 계발 공부를 통해 성장하는 과정에서 독서와 글쓰기의 중요성도 배웠다. 다양한 분야의 책을 읽겠다고 다짐하면서도 주로 자기계발서를 읽었다. 나는 자기계발서에서 시키는 대로 새벽에 일어나서 시각화, 명상, 목표 쓰기를 했고, 블로그도 시작했다. 끌어당김의 법칙, 잠재의식 활용하기, 부자의 마인드 등을 공부하면서 나는 '경제적 자유'를 꿈꾸고 있었다. 60대에 교사를 퇴직하고 나면 여유롭게 여행을 다니며 글을 쓰는 꿈을 꾸게 되었다. 내가 잘할 수 있는 일이 '가르치는 일' 다음으로 '글 쓰는 일'이라고 생각했기에, 퇴직하고 나면 '글 쓰는 일'로 돈을 벌 수 있을 것 같았다. 그리고 사람의 말이라는 것이 참 무섭다. 국어 시간에 아이들에게 시적 화자와 시인의 차이를 설명하기 위해 나는 퇴직하면 시인이 될 것이라고 말했다.

"선생님은 60대에 퇴직하고 나면 시인이 될 거야. 사랑을 주제로 시를 쓸 건데, 60대의 사랑보다는 20대의 사랑을 내용으로 시를 쓰는 게 더 좋을 것 같아. 그래서 시인인 나는 60대이지만, 시적 화자는 20대로 설정할 거야."

하지만 내가 어렸을 적 꿈꿨던 교직의 현실이 직접 겪어보니 낭만적이지 않았던 것처럼 작가의 삶도 쉽지 않을 것 같다는 것을 깨달았다. 퇴직 후에 소일거리를 하듯, 글을 쓰며 돈을 벌겠다고 생각한 것이 얼마나 어리석은 생각이었는지 알았다. 글을 쓴다는 것은, 작가가 된다는 것은 '돈'을 먼저 염두에 두면 안 되는 일이다. 사람과 세상을 어떻게 바라봐야 하는지, 또 그것을 어떻게 글로 담아내야 하는지, 그 글이 읽는 사람에게 어떤 의미를 전해줄지, 이 모든 것을 다 헤아리고 노력해야 하는 일이다. 절대로 쉽게 생각하고 덤벼들 일이 아니라는 것을 이번 프로젝트를 하면서 깨달았다. 지극히 개인적인 이유로, 성공하고 싶고, 부자가 되고 싶어서 작가가 될 수 있을 것으로 생각하고 이 프로젝트에 참가했다. 그리고 이 프로젝트가 끝나가는 지금, 나는 작가의 삶을 함부로, 쉽게 꿈꾸지 않겠다고 다짐했다. 그렇지만 나는 교사의 삶을 열심히 살면서 글 쓰는 삶을 계속 이어나갈 것이다. 성공과 부를 위한 글쓰기가 아니라 오롯이 나의 성장과 인생을 담은 글을 쓸 것이다. 그렇게 나의 그릇이 커지면 나의 글도 지금보다 훨씬 나아질 것이라고 믿는다. 꼭 내 이름으로 된 책이 세상에 나와 유명해지지 않더라도, 나와 내 글이 성장하는 과정에서 내 인생이라는 책이 완성되면 행복하게 눈 감을 수 있을 것 같다. 이 세상에 존재하는 수많은 인생의 책들이 저마다 가진 아름다움으로 마침표를 찍을 수 있기를, 그 속에 내 책도 있기를 기원하며 이 글을 마친다.

너의 미래가 나의 현재에게

김지혜

1

너의 미래가 보내는 책

새하얀 눈 사이로 벚나무의 새싹이 슬며시 나오는 계절이다. 긴 시계탑 꼭대기에서 울리는 종이 새 학기의 시작을 힘차게 알렸다. 캠퍼스 건물 사이로 들리는 종소리와 함께 분주하게 움직이는 발걸음 소리가 점점 커졌다. 어깨를 가로질러 검은색 낡은 제도 통을 메고 등 뒤로 길게 가방끈을 늘어놓은 앳된 새내기, 현재가 급하게 스튜디오 문을 열었다. 겨울 동안 쌓인 먼지와 묵은 우드락 냄새가 방안에서 물씬 풍겼다. 방학 동안, 마치 시간이 정지된 듯 스튜디오는 아직 고요했다. 아직 모형들이 책상 위에 제각각 흩어져 있었다. 현재는 창문을 바라보며 힘차게 창문을 열었다. 그 순간, 현재는 무심코 작업실 바닥에 떨어져 있는 책을 발견했다. 짙은 고동색 가죽으로 되어 있는 책은 마치 누군가가 스케치하다가 떨어뜨린 것처럼 보였다.

-너의 미래가 나의 현재에게-

오래된 고동색 가죽 커버 위로 닳았지만 또렷하게 제목이 각인되어 있었다.

다른 사람의 물건은 손대지 않는다는 원칙을 가지고 있었던 현재이지만 낡은 표지의 책이 주는 강렬한 인상만큼은 그냥 지나칠 수가 없었다. 현재는 궁금증을 참지 못하고 무심코 책을 펼쳤다. 그리고 눈앞에 하얀색 스튜디오 벽이 희미해지고 곧 거센 모래바람이 현재의 온몸을 감쌌다.

"잠깐만! 거기 누구 없어요?"
책으로 빨려 들어가지 않으려고 현재는 강하게 몸부림치며 소리쳤다. 하지만 그런 현재의 애타는 목소리를 누구도 들을 수 없었다.

2

사막의 모래시계

사막의 강렬한 햇빛에 오랜 시간 데워진 뜨거운 모래 알갱이가 현재의 손가락 사이로 스며들어 왔다. 모래 위에 고개를 박고 한참을 엎어져 있다가 힘겹게 실눈을 떴을 때, 손에는 주먹 하나에 들어오는 앙증맞은 모래시계가 들려있었다. 오래된 나무로 만든 것처럼 세월의 흔적이 묻어 있는 듯했다. 모래시계 안에는 모래 알갱이가 한 알씩 똑똑 떨어지고 있었다. 현재는 어딘가 머물 곳을 찾아야만 했다. 이제 곧 사막의 밤이 되면 차가운 바람이 살을 파고들 것이다. 현재는 정처 없이 마을을 찾아 헤맸다. 하지만

마을은 온데간데없었고, 거센 바람이 모래를 이리저리 옮길 뿐이었다. 그 순간, 멀리서 길쭉한 막대기처럼 보이는 누군가가 다가오고 있었다. 하지만 조금의 시간이 지나자, 자신을 향해 가까이 성큼성큼 걸어오고 있음을 직감할 수 있었다. 그 모습을 본다면 어릴 적 읽었던 키다리 아저씨의 모습을 떠올렸을 것이다.

"당신은 길을 잃었군요."
현재를 한참 응시하던 키다리 아저씨가 마침내 입을 열었다.

"네, 갑자기 책으로 빨려 들어왔더니 온통 눈앞이 모래뿐이에요."
현재가 이미 바싹 메마른 입술로 힘겹게 말했다.

"저를 따라오세요. 제가 마을로 가는 길을 알아요."
키다리 아저씨는 말을 마치고 현재에게 자기를 따라오라는 듯 손을 흔들었다.

현재는 사막에서 난생처음 본 사람의 손을 보며 설명할 수 없는 이끌림으로 따라갔다. 키다리 아저씨는 강한 모래바람 사이에서도 방향을 꽤 잘 찾는 듯 보였다. 과연 그는 얼마나 사막에 머물러 있었던 것일지 현재는 생각했다. 마을로 가는 동안, 키다리 아저씨는 현재에게 아무런 말도 하지 않았다. 현재를 보며 따라오라고 손짓하던 손은 오랜 시간 차가운 사막 바람에 메말라 부르텄고 온몸에 상처가 많아 보였다. 이렇게 따라가도 되는지 내심 걱정되는 현재였지만 키다리 아저씨가 모래바람을 앞서서 막

너의 미래가 나의 현재에게

아주는 모습에 이내 안심이 되었다. 상처들 사이로 전해지는 따뜻함은 분명했다.

"여기가 마을 입구에요. 제 뒤를 조심히 따라오세요."
키다리 아저씨는 작은 램프 안에 불을 붙이며 현재에게 말했다.

키다리 아저씨 너머로 양옆에 수십 미터 높이의 육중한 바위가 보였다. 협곡의 깊이는 상당해 보였다. 좁고 긴 사잇길을 따라가면 과연 사람이 사는 곳이 나올지 의구심이 들 정도였다. 현재는 키다리 아저씨를 바짝 따라가면서 생각했다. 통통한 사람은 이 길을 결코 지나갈 수 없을 것임을. 현재는 바위틈 사이로 난 길 위로 하늘을 보았다. 하늘을 날카롭게 가르는 듯한 모양이었다. 얼마나 지났을까. 마침내 마을의 입구를 알리는 바위가 보였다.

"잠깐, 발아래 조심하세요."
키다리 아저씨는 손으로 현재의 걸음을 멈추었다.

현재는 눈을 잠시 질끈 감았다가 떴다. 발아래로 가파른 절벽이 가로막고 있었다. 한 걸음만 더 디디면, 이미 이 세상 사람이 아니었으리라 생각되는 아찔한 순간이었다. 그리고 앞을 바라보니 반대편 절벽에는 사암 기둥을 깎아 만든 것처럼 보이는 집이 있었다. 자세히 보니 단순한 집이 아니었다. 6개의 육중한 기둥이 견고하게 지붕을 받치고 있었고, 커다란 자물쇠로 문이 굳게

잠겨있었다.

"아, 저쪽은 곡물 창고예요. 식량이 매우 귀한 지역이라 도굴꾼들이 찾아오는 때가 많거든요. 곡물 창고까지 가는 길은 아주 험해서 마을에 아주 신뢰할 수 있는 몇 사람만 알고 있지요."

키다리 아저씨가 곡물 창고를 가리키며 말했다.

그리고 이내 발걸음을 옮겼다. 마침내 바위 언덕 사이에 마을이 보였다. 적색과 주황색이 섞여 있는 바위산에 여기저기 구멍이 뚫려있었고, 사람들이 램프를 들고 이리저리 움직이고 있었다. 구멍 사이로 빛이 새어 나오는 바위산 마을이었다. 모두가 저녁 준비를 하는 듯 분주해 보였다. 곧 식사할 시간임을 짐작할 수 있었다. 그중 가장 깊숙해 보이는 바위틈 사이로 키다리 아저씨가 들어갔다. 현재도 키다리 아저씨를 놓칠 수 없어 곧장 따라 들어갔다.

"다니엘, 옆에 쟤는 누구야?"

험상궂게 생긴 대장장이가 멀리서 키다리 아저씨에게 소리쳐 물었다.

"길을 잃었어. 우리와 당분간 함께 지내게 될 거야."

다니엘은 차분한 목소리로 흥분한 대장장이의 마음을 가라앉혔다.

"별로 힘이 세 보이지도 않고 사막에서 살아남기에는 약골인 것 같은데? 어이, 약골! 너 여기에는 어떻게 들어왔어?"

대장장이는 미덥지 못하다는 표정으로 현재를 째려보았다.

"저 작업실에서 책을 열었는데 눈앞이 사막으로 변했고 저도 모르게 그만 빨려 들어왔어요."

현재는 대장장이의 기세에 눌려 풀이 죽은 목소리로 말을 이어 나갔다.

"그러면 네 고향으로 돌아가! 네가 여기서 할 수 있는 건 없어! 아무것도 하지 않고 우리의 식량을 축내기만 하겠다고? 그럴 수 없지. 네가 할 수 있는 게 뭔데?"

대장장이는 풀이 죽은 현재를 더 쏘아붙였다.

그러자 키다리 아저씨가 그 둘 사이를 보며 말을 이어 나갔다.

"한번 보자고. 책이 이곳으로 길을 열어주었다면 이유가 있겠지. 그 잠재 능력을 한번 보자."

키다리 아저씨의 침착한 목소리로 대장장이의 분을 가라앉히며 말했다.

키다리 아저씨 덕분에 급한 순간은 모면했지만, 현재는 이 마을에서 살아남기 위해 내일부터 부지런히 움직여야 할 것이다. 그렇게 사막에서의 첫날밤이 지나갔다.

3

나의 키다리 아저씨

다음 날 아침, 사막의 이슬이 잎사귀에 영그는 모습, 모래 산 너머로 붉은 태양이 뜨는 모습을 현재는 처음 보았다. 그렇게 황홀한 사막의 아침은 영원히 잊을 수 없으리라 하는 경이로움으로 현재는 한참을 응시했다.

"잘 잤어요? 제가 이름도 아직 물어보지 못했네요. 뭐라고 부르면 좋을까요?"

키다리 아저씨가 현재에게 다가오며 물었다.

"현재라고 불러주세요. 그리고 어제 감사했어요. 사실은 저 어디로 가야 할지를 몰랐거든요."

현재는 키다리 아저씨에게 고마움을 표현했다.

"사막은 길을 잃기 쉬운 곳이에요. 당신뿐 아니라 여기에 온 모두가 처음에는 그랬어요."

키다리 아저씨가 살짝 미소를 지으며 말했다.

"다른 사람은 어떻게 해서 이 황량한 사막에 떨어지게 되었나요? 다시 돌아갈 방법이 있나요?"

현재는 간절한 눈빛으로 키다리 아저씨에게 물었다.

"사람마다 각자 이유는 달라요. 저는 어렸을 때부터 정처 없이 떠돌이 인생을 살았어요. 삶의 낙도 이유도 없었지요. 외로울 때는 술을 벗 삼아 슬픈 마음을 위로했고, 살기 위해 해보지 않은 일이 없을 정도이지요."

키다리 아저씨는 잠시 과거를 회상하는 듯했다.

"저에게 왜 손을 내밀어 주셨어요?"

현재가 고개를 들어 키다리 아저씨를 바라보았다.

"글쎄요, 그저 당신을 보면 무한한 잠재력이 느껴졌어요. 어제 대장장이처럼 많은 이들이 앞으로 현재 씨를 약하다고 볼 거예요. 하지만 저는 현재 씨가 마을로 따라나서기 결정한 순간부터 다른 이들과는 다름을 느꼈어요. 당신은 결코 약한 사람이 아닌 것을 직감적으로 느끼게 되었지요."

키다리 아저씨가 부드럽지만, 확신에 찬 눈으로 말했다.

그 순간 현재는 첫날에 보았던 갈라진 키다리 아저씨의 손등이 이해가 가기 시작했다. 그리고 왜 그의 상처들 사이로 따뜻한 햇볕이 보였는지를 이해할 수 있었다.

"저는 당신을 어떻게 부르면 좋을까요?"

현재는 잠시 머뭇거리며 키다리 아저씨에게 용기를 내어 물었다.

"여기서는 저를 모두가 다니엘이라고 불러요. 다니엘 아니면 어떤 게 좋을까요?"

키다리 아저씨가 잠시 고개를 들어 생각에 잠긴 모습이었다.

"혹시, 다니엘 말고 키라고 불러도 괜찮아요?"

현재는 번뜩이는 생각에 기쁨을 감출 수 없었다.

"키요?"

키다리 아저씨가 궁금해하며 현재에게 물었다.

"네, 키요! 당신이 제 삶의 방향을 잡아준 열쇠 같은 분이거든요. 그래서 전 당신을 키라고 부르고 싶어요"

현재가 해맑게 웃으며 대답했다.

"좋아요. 현재 씨가 편하시다면 그렇게 부르도록 해요. 이제 일할 시간이에요. 현재 씨, 사막에서의 삶이 절대 녹록하지 않을 거에요. 하지만 저는 현재 씨의 잠재력과 힘을 믿어요."

그렇게 키는 홀연히 모래바람 사이로 사라졌다.

정말 그의 말처럼 사막의 삶은 녹록하지 않았다. 여전히 현재가 가는 곳마다 마을 사람들의 의심이 섞인 눈초리는 허다했고, 그러한 분위기 속에서 현재는 웃음을 잃어갔다. 하지만 현재는 그러한 순간에서도 마을 사람들에게 도움이 될 수 있는 일들을 찾기 위해 안간힘을 썼다. 마음은 앞섰지만, 결과물은 미미했다. 현재는 장작을 패는 이들을 위해 도움을 주러 갔지만, 도끼의 무게에 짓눌려 힘 조절을 잘못했다. 그리고 장작의 일부가 현재의 옆에 서있던 작업자의 얼굴로 날아갔다. 작업자는 분을 겨우 삭이면서 집으로 돌아갔다. 또 다른 날은 식사를 준비하러 주방에 들어갔다가 주방장의 허락이 없이 다른 소스를 사용하여 주방장의 분노를 폭발하게 했다. 타인이 시키기 전에 먼저 행동으로 그 마음을 입증하겠다는 현재의 선한 의도와는 달리 결과물은 오히려 현재를 무능력한 사람으로 입증하는 꼴이 되어버렸다. 반복되는 실수 속에 현재는 마을에 적응하고자 하는 마음도 점점 약해지게 되었다. 그러한 현재의 모습을 보고 한 소녀가 다가와 말을 건넸다.

"너는 정말 소중한 시간을 받았구나!"
소녀가 당차게 말했다.

"무슨 말이야? 난 지금 전혀 행복하지 않아. 오히려 현재 나의 일상으로 다시 돌아가고 싶은 마음이 굴뚝 같은걸? 거기서는 그나마 시험문제라도 풀 수 있지 여기서는 내가 아무런 도움이 되지 않아."
현재의 목소리는 풀이 죽어 있었다.

"너는 몰라.", "너 현재 세계에서 이렇게 많은 사람과 다 같이 지내본 적 있어?"
소녀는 이내 단호한 표정으로 이야기했다.

"아니. 나는 우리 가족하고 살았지만 다들 사는 게 바쁘더라고. 모두 정신없이 일하느라."

현재가 한숨을 내쉬었다.

"바로 그거야. 너는 이미 함께할 수 있는 시간을 받았어. 그게 바로 선물이 아닐까? 지금은 가족이 바쁘더라도 어렸을 때 함께 했던 소중한 추억을 떠올려 봐. 그러면 지금의 시간도 나중에 다시 보면 선물인 걸 아는 날이 오지 않을까? 나는 네가 누군가와 대화할 수 있는 선물을 잊지 않았으면 해. 네가 일을 잘하든 못하든, 우리 마을 사람에게 도움이 되든 그렇지 못하든 그건 아무에게나 주어지는 선물이 아니야."

현재는 그 말에 대답을 이어갈 수 없었다.

"고마워 넌. 나보다 어리지만 나보다 더 성숙하구나."

현재는 그 순간 깨달음을 얻을 수 있었다.

"그냥 뭐, 너는 이미 훌륭한데 너의 모습을 못 보는 것 같아서."

소녀는 자기의 할 말을 하고 이내 가던 길을 씩씩하게 뛰어갔다.

다시 하루가 지났다. 얼마나 지났을지 현재는 이제 시간에 무감각해지고 있었다. 아까 오후에 들었던 소녀의 말이 현재의 마음에 계속 맴돌았다.

"키, 오늘 어떤 소녀가 나에게 지금의 순간을 잊지 말라고 했어요. 그렇게 당찬 소녀는 처음 보았어요. 저에게 힘이 많이 되더라고요."

현재는 따뜻했던 기억을 떠올리며 말했다.

"현재 씨 주변에는 좋은 사람들이 많네요. 현재 씨가 좋은 사람이라서 그런가 봐요."

키가 우물에서 물을 길으며 말했다.

"전 아직 잘 모르겠어요. 사실 사막에서 제가 잘살아가고 있는지도 모르겠고 원래의 일상으로 돌아가고 싶은 마음도 드는 것 같아요. 저는 언제쯤 다시 책 밖을 나갈 수 있을까요?"

현재는 아무 의미 없이 손을 매만지며 말했다.

"현재 씨, 아쉽게도 책이 다시 열리는 건 사람마다 달라요. 여기에 평생을 머문 사람도 있고 책이 무엇을 원하는지에 따라서 그 기간이 길 수도 있고 짧을 수도 있어요. 현재 씨의 책이 원하는 것이 무엇이었는지는 그건 현재 씨만이 알고 있을 거예요. 지금은 모를 수 있지만요. 그래도 모래시계를 봐요. 이미 많이 지나왔잖아요."

키는 길은 물을 등에 힘차게 얹으며 말했다.

"그렇네요. 점점 일상으로 갈 수 있는 날이 오는 거겠지요?"

현재가 희망찬 목소리로 말했다.

"현재 씨는 어떻게 느낄지 모르지만, 현재 씨가 온 뒤로 마을 분위기도 많이 달라졌어요. 그 대장장이 알죠? 현재 씨를 매우 못마땅하게 생각했던 친구요. 표현은 그렇게 하지만 지금은 현재 씨가 작업실을 나오는 날을 더 기다리는 것 같더라고요. 아마 현재 씨가 그동안 꾸준하게 주변 사람들에게 신뢰를 준 덕분일 거예요. 현재 씨는 본인이 생각하는 것보다 주변에 많은 힘을 주고 있어요."

키는 현재에게 하고 싶은 이야기가 많은 듯했다. 그리고 차분한 목소리로 다시 그 말을 이어갔다.

"현재 씨, 사실 사막에 가장 필요한 게 무엇인지 알아요? 식량? 안전한 집? 마을에서의 입지? 사실 더 중요한 게 있어요. 사랑이거든요. 현재 씨가 타인을 더 생각하는 마음. 그 마음이 황량한 사막에 새싹을 낼 수 있는 원동력이에요. 당신의 사랑하는 마음이 모두를 매일 숨 쉬게 해요. 척박하고 갈라진 땅을 다시 붙게 하는 힘이지요. 그 마음을 잃지 않았으면 좋겠어요."

키의 목소리가 현재의 마음에 희망을 한 줌 불어넣어 주었다.

"아, 이야기가 나와서 생각이 났는데 오늘 대장장이가 현재 씨에게 곡물 창고지기를 맡기고 싶다고 했어요. 현재 씨가 처음에 이 마을에 왔을 때 다들 실수투성이라고 하는 말들이 많아서 힘들었지요? 초반에는 현재 씨가 자신감을 잃고 위축된 모습을 멀리서 지켜보았지요. 하지만 현재 씨는 이내 굴하지 않고 한 걸음 더 나아갔어요. 가장 포기하고 싶을 때 거기서 한 걸음씩 나아가며 지금 이 순간까지 온 것이지요. 이러한 현재 씨의 꾸준함이 돌 같던 대장장이의 마음도 녹여낸 것 같아요."

키는 마치 자기 일인 듯 기뻐하며 말했다.

"저에게 마을의 식량이 걸린 중요한 일을 맡기겠다는 거예요?"

현재는 기뻐하면서도 걱정이 앞섰다.

"현재 씨, 모든 게 준비되어서 하는 일도 있지만, 세상에는 그러지 못한 일들이 매우 많아요. 현재 씨가 그동안 힘들게 장작을 패고 주방장을 도와 음식을 하는 궂은일을 묵묵하게 한 점이 사람들에게 신뢰를 주었나 봐요. 오늘 마을 회의에서 다수결로 현재 씨를 곡물 창고지기로 하자고 결정이 되었어요."

키가 기쁨을 감추지 못하며 이야기했다.

사막에서 지내는 동안 현재는 수없이 키와 이야기하며 그의 얼굴을 보았지만, 별빛 아래에서 이야기했던 키의 모습을 현재는 잊을 수가 없었다. 키의 상처 많은 얼굴에 환한 미소가 가득한 것을 본 순간은 처음이었다. 환한 달에 상처가 아물었나 하는 생각이 들 정도로 키는 처음 만난 순간보다 많이 회복되어 보였다.

4

사막의 신기루

현재는 키와 헤어지고 방안에 들어와 침대에 누웠다. 사막에 떨어진 순간부터 지금까지의 기억들이 주마등처럼 지나갔다. 밤하늘에 박혀있는 수없이 많은 별처럼 사막에서 많은 어려움이 있

었지만 결국 해냈다는 기쁨에 잠을 이룰 수 없었다. 내일이면 창고지기로 새로운 일상을 시작할 거라는 생각에 기대감이 벅차올랐다. 그리고 사막에서의 외로웠던 순간들과 살아남기 위해서 발버둥쳤던 모든 순간을 인정하기로 했다. 현재는 잠시 눈을 감았다. 지금은 보이지 않지만, 배가 드넓은 바다를 가로지르며 항해하듯이 닻을 펼치며 더 넓은 세계로 자유롭게 항해하는 모습을 상상했다. 현재의 눈에는 이내 눈물이 고였고, 방안의 모래시계 속에 남아있던 모래 한 알이 유리 바닥에 톡 하고 조용히 떨어졌다. 그 순간, 미래가 현재 앞에 나타난다.

"이제 너의 일상으로 돌아갈 시간이야."
미래는 미소를 지으며 말했다.

"잠깐만, 너무 갑작스러워서! 그동안 그토록 돌아가고 싶었을 때는 왜 나타나지 않고 지금 나타난 거지? 난 이제 사막의 생활에 익숙해졌고 아직 인사하지 못한 사람들이 너무 많아! 이제 많은 사람의 신뢰도 얻었고 나는 여기서 할 일이 많이 남아서. 나에게 시간을 조금만 더 줘."
현재의 미래에게 애타는 마음으로 애원했다.
하지만 이미 책이 다시 펼쳐지고 현재는 원래의 일상으로 돌아오게 되었다. 정신없이 모래바람이 불며 현재는 기억을 잃어가고 있었다.

"우리 또 만나게 될 거야."
미래의 목소리가 휘날리는 모래바람 사이로 또렷하게 들렸다.

황홀했던 사막의 신기루는 사라져 가고 현재는 일상에 마침내 돌아오게 되었다.

'아, 원래대로 예전대로 돌아왔구나.'
더 사랑하지 못했던 순간이, 그리고 더 후회 없이 사랑하지 못했던 순간이 떠올라 마음이 아렸다.

5

정상으로 가는 길

현재는 다시 일상으로 돌아와 정신없는 하루를 보냈다. 잦은 밤샘과 프로젝트 마감으로 몸은 지쳐만 갔고 매일의 쳇바퀴 속에서 반복되는 삶을 살아갔다. 어느 순간 현재는 사막에서 만난 이야기를 잊어간 채로 눈앞에 펼쳐지는 레이스를 달렸다.

"현재야, 너 이번에 콘퀘스트 회사 지원했어?"
현재의 단짝, 선우가 강의실 옆자리에 앉으며 물어보았다.

"아니, 아직 고민이야. 너무 높아 보여서"

현재는 잠시 생각에 잠겼다.

"그래도 한번 지원해 봐. 누구나 가고 싶어 하는 회사이지만 그게 네 미래가 될지 어떻게 알겠어? 앞일은 어떻게 될지 모르잖아."
선우는 현재에게 지원공고가 적혀 있는 종이를 건네주었다.

- 지원공고 -

콘퀘스트 신입사원 모집 공고

모집 분야 : 건축

지원 자격 : 학점 4.0/4.5 이상

자격 요건 및 우대 사항 : 아래의 조건 하나 이상을 충족

1) 5년제 건축학과 졸업

2) 건축 관련 자격증 소지자

3) 공모전 입상자

4) 인턴 및 실무 경험자

5) 교수 추천서

6) 교내 건축 관련 활동

7) 토익 800점 이상

8) 해외 연수 경험자

시험 일정 및 시간 : 6주

시험 장소 : 추후 공지

시험 준비물 : 수험 번호표, 신분증, 필기구, 개인 물품

공고만 보아도 콘퀘스트는 철옹성 같은 느낌의 회사였다. 운

이 좋게도 현재의 이력서가 통과되었고, 견고해 보이는 성벽의 문이 현재에게 열리게 되었다.

"현재 씨, 왜 콘퀘스트에 지원했어요?"

면접관이 안경을 치켜들며 매서운 눈으로 현재를 바라보았다.

"저에게는 오랜 꿈이 있습니다. 그 꿈은 척박한 사막 가운데서 피어난 새싹과도 같습니다. 보이지 않아도 항해할 수 있다는 용기를 준 키다리 아저씨, 매일의 성실한 제 삶의 모습 가운데 신뢰를 표현한 대장장이, 함께하는 소중함을 일깨워 준 어린 소녀를 만나며 이 모든 순간을 책 속의 꿈으로만 남기고 싶지 않았습니다. 저는 콘퀘스트에서 사람들의 꿈을 찾아주는 일을 하고 싶습니다. 사막보다 더 냉혹할 수 있는 사회일지라도 앞으로 나아간다는 여정 가운데 아름다운 빛을 찾아주는 사람이 되고 싶습니다."

현재는 희망에 가득 찬 눈빛으로 말했다.

"현재 씨, 그 꿈은 현실과는 거리가 있네요. 현재 씨가 가지고 있는 그 꿈을 실현하기 위해서는 많은 장애물이 있을 거예요. 하지만 현재 씨의 꿈이 그게 콘퀘스트의 이념에 어떻게 맞을지는 궁금해지네요."

면접관은 다시 고개를 서류에 박고 다음 단계로 넘어가는 철문을 손으로 가리켰다.

현재는 자신의 키보다 몇 곱절 더 높은 철문 앞에 섰다. 여기

저기 녹이 슨 철문이 결코 쉬운 시험이 아니라는 것을 직시하였다. 현재는 크게 심호흡하고 강하게 닫혀있는 철문을 힘껏 밀어 열었다.

정갈하게 정리된 새하얀 사무실 책상들, 분주히 움직이는 콘퀘스트 직원들이 사무실을 분주히 돌아다니고 있었다.

"콘퀘스트 입사 시험장에 오신 것을 환영합니다. 여러분은 6주간 담당 사수의 인솔 아래에 단계별로 시험을 치르게 됩니다. 최종 합격자로 단계별로 우수한 성적을 거둔 지원자가 선발될 것입니다. 그럼 1차 시험을 시작합니다."

아무런 감정 없는 차가운 음성이 뚝 끊기고 모두가 숨을 죽이며 시작 사인을 기다렸다. 고요함 가운데 숨소리마저 크게 들렸다.

"여기까지 오느라 모든 지원자 여러분 수고하셨습니다. 첫 번째 관문은 협업 능력을 평가하는 시험입니다. 조원과 함께 콘퀘스트 핵심 지원실을 가장 빨리 찾는 사람이 이번 평가에서 최고 득점을 받게 됩니다. 핵심 지원실은 콘퀘스트 내부 도면 안에 적혀 있으니 참고하시기를 바랍니다. 물론 도면을 찾는 과정도 협업 능력을 평가하는 항목입니다."

담당자의 우렁찬 목소리가 끝나고 모든 시험자는 자신의 팀원을 빠르게 찾기 위해 배정표 앞으로 달려갔다.

현재도 곧바로 뛰어가 흰 벽에 걸려 있는 배정표를 확인했다.

손가락으로 한참을 내려가며 현재와 함께 배정된 팀원의 이름을 확인했다. 그 순간 현재의 눈앞에 친근하게 내미는 손이 보였다. 그 옆 가슴에는 이름 대신 지원자 번호, 1111이 적혀 있었다.

"너 나랑 같은 팀이구나. 우리 콘퀘스트에 같이 입사해 보지 않을래?"
그가 먼저 친근하게 손을 내밀었다.

"각 팀에서 다음 단계로 올라갈 수 있는 사람은 전체에서 한두 사람뿐이야. 우리가 같이 올라갈 수 있을까?"
현재는 1111번의 손을 바라보며 말했다.

"그럼, 우리가 힘을 같이 합치면 가능하지. 정상은 단 한 사람만을 위해 존재하지 않아."
1111번은 현재에게 미소를 지어 보였다.

현재는 의심의 마음을 거두고 1111번의 손을 잡게 되었다.

"방금 시험이 시작되기 전에 중요한 정보를 들었어. 최신 도면이랑 1950년대 작성된 도면이 있다고 하는데 핵심 지원실로 가는 길은 옛날 도면에 그려져 있다고 해"
1111번은 숨을 죽이며 현재에게 귓속말로 말했다.

"대단하지 않아? 1950년대 도면이 그려졌다는 것은 이 콘퀘스트 건물이 예전에도 사용되었다는 말이니까. 우리가 모르는 방이 있다는 거지. 그만큼 오래전부터 많은 사람이 선망하고 오르고 싶고 넘고 싶은 바벨탑 느낌이랄까."

1111번은 도면을 찾을 생각에 한껏 고양되어 보였다.

"그러면 핵심 도면은 어떻게 찾아?"

현재가 다시 본론으로 돌아가자는 눈빛으로 이야기했다.

"아쉽게도 담당자들의 목소리가 끊겨서 거기까지는 나도 몰라. 이 정보도 겨우 알아냈는걸."

1111번은 고민이 섞인 모습이었다.

현재와 1111번은 한참을 회사 안에 돌아다녔지만, 도면은 커녕 뾰족한 단서도 찾지 못했다. 그렇게 점심시간을 알리는 종이 울렸다.

"현재야 잠깐, 나가서 머리 좀 식히자. 이렇게 해서는 도면을 찾기 전부터 탈진할 것 같아."

1111번이 현재의 팔을 잡으며 말했다.

"그래 잠깐 쉬었다가 다시 찾아보자."

현재도 고개를 끄덕이며 1111번을 따라나갔다.

"콘퀘스트…. 콘퀘스트…. 콘퀘스트…. "

현재는 자신의 수험 번호 종이를 매만지며 그 위에 적힌 회사 이름을 계속 중얼거렸다.

그 순간 콘퀘스트의 로고와 현재의 눈 멀리에 있는 콘퀘스트 탑이 눈에 보였다.

"콘퀘스트, 가장 높은 곳을 점령해 꿈을 이루다."
현재는 콘퀘스트의 회사에 지원하기 전 공부했던 회사의 이념 문구를 떠올렸다.

그리고 그 순간 콘퀘스트의 로고 종이를 들어 우뚝 솟아 있는 탑의 모습을 대조해 보았다.

"1111번, 나 알 것 같아. 콘퀘스트 자체가 힌트였어! 저기 콘퀘스트 본사 꼭대기 보이지? 저기는 왜 항상 찬란한 빛으로 꺼지지 않는 걸까? 저기가 바로 핵심 지원 시설이 있기 때문일거야."
현재는 머릿속을 관통하는 듯한 생각에 번뜩 일어나 탑을 가리켰다.

1111번도 현재의 말을 듣고 얼어붙은 듯 미동도 없이 정지해 있었다. 그리고 서로 그다음에 어떤 행동을 할지는 알고 있었다. 그들은 일제히 탑을 향해 전력 질주했다. 누구보다 빠르게, 그리고 누구보다 높게 올라가기 위해 달리고 또 달렸다. 탑 아래에는 탑을 오를 수 있는 밧줄과 장갑 등 특수장비들이 놓여 있었다. 그들보다 더 빠르게 도면을 찾아 도착한 지원자들도 있었다. 더 이상 지체할 수 없어 현재와 1111번은 밧줄로 온몸을 감싸며 탑에 돌출된 난간을 붙잡고 한 걸음씩 올랐다. 시간이 지날수록 현재의 손 등에 상처가 생겼다. 저층에서는 느낄 수 없었던 빌딩풍이 그들을 송두리째 날려버릴 듯했다. 현재는 상처를 움켜쥐고 눈앞에 정상을 향해 계속 올라갔다. 정상으로 가는 길은 결코 쉬운 길이 아니었다. 강풍이 불 때는 서로를 의지하였고, 떨어지지 않기 위해 서로의 손을 꼭 잡았다. 얼마나 올라갔을까? 탑 고층에 있는 구름은 차가웠고, 아래에서 올라오는 사람들은 개미만한 크기로 걸어 다니고 있었다.

"우리 이 정도면 많이 올라온 것 같지 않아?"
1111번이 현재에게 웃으며 이야기했다.

현재는 1111번에게 고개를 끄덕이면서 하늘을 바라보았다.
아침에 비해 해의 고도가 매우 높은 것을 직감했다.

"1111번, 물 아껴 마셔. 지금이 가장 뜨거운 시간인 것 같아."
현재는 앞서 올라가는 1111번에게 소리쳤다.

"문제없어. 이제 정상이 얼마 남지 않았거든."
1111번은 매우 자신만만했다.

1111번은 다음 층으로 가기 위해 손을 멀리 뻗어 철제 난간을 잡으려고 했다. 그 순간 강하게 내리쬐는 햇빛이 건물의 유리 벽을 강타하여 1111번의 눈에 곧바로 반사되었다.
"현재야, 있잖아. 나, 눈앞이 안 보여. 조금만 손을 뻗으면 닿을 것 같은데 눈앞이 하나도 안 보여"

1111번은 목 놓아 울부짖었다. 그 절망이 도시 전체에 울려 퍼졌다.

그 순간, 탑이 진동하게 되고 정상으로 가는 많은 이들이 하늘에서 떨어지게 되었다. 현재도 어떻게든 버텨보려고 하지만 더 이상 손에는 감각이 사라지고 있었다. 손가락의 마디마다 힘이 사라져 가는 게 느껴졌다. 함께 하는 1111번의 모습이 희미해져 갔다. 더 아래로, 어둠 속으로, 그 깊이를 가늠할 수 없는 땅 아래로 떨어져 갔다. 찬란했던 탑의 정상의 빛은 어둠에서 잠시 반짝이는 별처럼 빛나다 사라졌다. 그리고 높이 올라간 만큼 더욱 깊이 떨어지면서 부딪히는 고통도 미동도 없이 암흑만 있을 뿐이었다. 현재의 가벼운 몸은 아래로 더욱 빠르게 내려가면서 바닥에 강하게 부딪혔다.

6

나의 미래에게, 너의 현재가

"안녕? 현재야."

눈을 뜰 힘도 없는 현재의 귀에 미세하지만 나긋한 목소리가 들려왔다.

"현재야. 나 미래야. 너의 미래"
미래가 나긋하게 속삭였다.

현재의 눈앞에는 정말 미래가 서 있었다. 그동안 보이지 않았던 미래가 와있었다.

빛으로 일렁이는 듯한 미래의 모습이 현재의 얼굴을 비추었다. 그 모습은 현재를 쏙 빼어놓은 듯한 모습이었다.

"현재야. 너는 혼자라고 느꼈겠지만, 나는 하늘에서 네가 힘겹게 탑을 올라간 모습을 보았어. 그리고 네가 왜 정상에 가려고 했는지도, 그 과정도 모두 보았단다."
미래가 현재에게 손을 내밀며 말했다.

"나는 더이상 앞으로 나아가지 않을 거야. 계속해서 탑을 찾지도 않을 거야. 그저 아무도 없는 곳에서 어둠과 함께 세상 가장 아래에서 하늘을 보지 않을 거야"
현재는 그러한 미래의 손을 뿌리친다.

"현재야. 지금 너의 앞에 미래, 내가 있어. 네가 한 걸음만 나가면 그 미래는 현재가 될 거야. 내가 너를 사막으로 왜 초대했는지 아니? 네가 그 스튜디오에서 책을 펼쳤던 그날 기억해?"
미래는 현재의 손을 따뜻하게 그리고 부드럽게 잡으며 말했다.

"응. 기억나지"

현재는 힘없이 고개를 끄덕였다.

"나는 너한테 정해지지 않은 미래가 얼마나 아름다운지 알려주고 싶었어. 사막의 뜨거운 광활한 사막의 햇빛이 얼마나 강렬한지 너는 보았어. 그리고 삶의 길을 걷다가 우연히 마주친 한 사람의 소중함도 깨달을 수 있었지. 삶을 바쁘게 살아가다 보니 네가 겪었던 모든 일이 사막의 신기루처럼 사라지는 듯 느껴졌겠지만 말이야. "

미래는 모든 것을 이해한다는 눈빛을 지으며 현재를 바라보았다.

"그거는 미래, 네가 어떤 일이 일어나는지 모두 알고 있기 때문에 어떤 상황에서도 마음이 편했던 거 아니야? 너는 나를 몰라. 아무것도, 이룬 것도, 정해진 것도 없이 한 걸음씩 내딛는 게 얼마나 어려운 건지 알아? 너 앞에만 서면 나는 겁쟁이처럼 나약해 빠진 사람 같아!"

현재는 그동안에 눌러두었던 억울하고 외로웠던 감정을 미래에게 쏟아냈다.

"현재야. 내가 지금 너의 눈 위에 내 손을 올려놓으면 아무것도 보이지 않지? 그런데 내 목소리는 들리지 않아? 너는 알고 있어. 이미 너의 미래가 현재, 네 앞에 있다는 것을..."

미래는 현재의 분노에 찬 붉은 눈가 위에 다시 손을 얹었다.

미래의 손 아래로 뜨거운 현재의 눈물이 흘러내렸다. 그리고 그 둘은 서로 바라보며 한참을 미동 없이 가만히 있었다. 그동안의 슬픔을 이해하듯이. 아무 이야기 없어도 현재와 미래가 서로 이해한다는 듯이. 이미 둘은 상대방을 알고 있다. 현재는 너무나 밝고 찬란한 미래 앞에서 고개를 들었다.

"네가 정말 내 모습이야?"
현재가 고개를 들어 미래에게 물었다.

"그럼, 미래의 나는 너니까"
미래는 현재에게 무엇인가를 손에 쥐여 주었다.

"이게 뭐야?"
현재가 고개를 들어 궁금증에 가득 찬 눈으로 미래를 바라보았다.

"이제 너의 마지막 페이지를 써야지"
미래는 미소를 지으며 말했다.

"아무것도 안 쓰여 있네? 흰 종이뿐이구나."
현재는 의아하다는 듯이 미래에게 말했다.
"응. 이제부터 너의 미래는 현재, 네가 써내려 가는 거야. 남들이 보기에 아름답지 않아도 괜찮아. 정해지지 않아도 괜찮아. 눈앞에 이룬 성과가 없어도 괜찮아. 그저 너만의 진솔한 이야기를 써내려 가는 거야. 그게 너의 미래가 될 테니까."

너의 미래가 나의 현재에게

미래는 희망에 가득 찬 목소리로 말했다.

"사랑하는 나의 현재야. 너의 미래가 나의 현재에게 부탁해. 나를 너만의 이야기로 만들어 가줘. 아무도 흉내 낼 수 없는 너만의 고유한색으로 답장해 줘. 나는 미래에서 너를 다시 기다릴게."

미래는 현재를 바라보며 미소를 지어 보이다 홀연히 사라졌다.

확신에 찬 현재는 곧 펜을 들었다. 그리고 마지막 페이지에 부드럽지만, 힘찬 필체로 무엇인가를 쓰기 시작했다.

-나의 미래에게, 너의 현재가-

워커홀릭이던 ENTJ, 직장인 탈출기

창업 첫 달, 매출 500만원 달성!
그 이후 현실적인 이야기들

본연의 아름다움

1

봄의 시작

**봄이라는 것은 새싹이 자라나는 계절이죠.
'땅'이라는'직장'에서 밖으로 빼꼼 새싹이 자라났습니다.**

2023년은 '나에게 [　　]다.'라고 한다면 여러분의 빈칸은 어떤 말로 채우고 싶으실까요? 벌써 2024년도 완연한 봄이 찾아오고 있네요. 저에게 작년인 2023년은 '직장인 탈출'이라는 새로운 시작의 봄이었습니다.

'직장인 탈출' 새로운 봄을 꿈꾸다.

작년에는 30대의 반열에 올랐습니다. 그렇습니다. 서른 살이 되었습니다. 94년생은 2024년 예전 한국 나이로는 서른 한 살이라고 하더군요! 어찌나 놀랍던지. 30대라는 말이 이렇게나 저를 다급하게 만들다니요. 예전에 스스로 상상하던 30살의 모습과 현실의 저는 참 많이 달랐습니다. 10대가 시작되는 초등학교 때부터 도서관에 꾸준히 가고 다독상부터 다양한 상장을 받고, 백일장에도 나가보고요. 그 외에도 MC, 시낭송, 글 공모전에 나가는 등 다양한 활동들을 해왔습니다. 20대에는 서울로 상경을 해서 숨만 쉬어도 새어나가는 돈을 맞이하며, 쉬지 않고 열심히 살아왔습니다. 그런데 어째서 '그동안 이룬 것도, 모은 것도 왜 없을까?'. 분명 치열하게, 열심히, 매순간 최선을 다하면서 살아온 것 같은데 말이죠. 그게 아니었나? 어떻게 살아야 할까? 고민이 되었습니다. "정말 내가 원하는 것이 뭘까? 고민하며 배우고 싶

은 것을 배워보자, 후회하지 않는 30대를 살아보자”는 마음이였
습니다!

첫 번째 창업온라인 쇼핑몰(사업자등록)

항상 하고 싶었던 패션 사업! ‘쇼핑몰을 차려보자, 내가 배웠
던 것들을 활용해보자’ 라는 생각을 하게 됩니다. 브랜드 로고부
터, 홈페이지 제작, 의류 선정, 촬영장소 구하기, 의류 촬영, 의
상 입고 촬영, 상세페이지 제작, 제품 등록, 광고, 판매, 포장까
지 이 모든 것들을 혼자 해봤습니다. 역시 창업은 해야 할 것이
너무나 많았습니다. 모든 것을 알아보고 구매해야 했습니다. 그
리고 촬영할 옷들을 다 구매해야 한다는 점. 샘플 구매가 타격
이 너무 컸습니다. 게다가 저는 아주 어리석게 사업자등록을 할
때 잘못 등록을 했습니다. 처음이라 ‘간이과세자’로 하면 되는데,
‘일반과세자’로 등록되었습니다. 그래서 나중에 ‘세금 폭탄’을 맞
이했습니다. (하하) 역시 인생은 배우면서 아는 것인가요? 여러
분은 꼭 사업자 등록할 때 저 같은 실수는 하지 않으시길 바라요.
세무서에서 신청할 때는 그런 건 관심이 없더라고요. 분명 새로
만든다고 말씀드리긴 했었는데요. 그렇게 의류 비용, 촬영 장소
비용, 택배 비용 등까지 많은 돈들이 들었습니다. 집을 스튜디오
로 꾸미려고 ‘오늘의 집’ 사이트에서 제품들을 구매하면서 투자
를 좀 많이 했습니다. 그래도 생각보다 스튜디오 느낌까지는 안
나오더라고요. 이렇게 투자는 투자대로 했으나 오히려 마케팅 회
사들에서는 광고 전화만 왔습니다. 샘플로 촬영하고 구매한 옷들
은 저의 몫이 되어가며, 결국 저는 의류 사업을 폐업하게 되었습
니다. 네, 실패는 성공의 어머니라고 하지요. 많은 것을 느끼게

알게 된 것 같긴 합니다. 도매의 시스템, 사업자의 상황, 마음가 짐을 알게 되었습니다.

배우고 싶은 것을 배우게 되다.

그렇게 실패를 맞봤지만, 원래부터 패션에 관심이 많았기 때문에 패션 쪽 관련해서 더 배워보고 싶었습니다. 패션과도 연관 있고, 색감에도 연관있는 퍼스널컬러 쪽에 관심을 가지게 되었습니다. 퍼스널컬러 자격증을 이수하게 되었습니다. 퍼스널컬러가 무엇이냐하면 사전적인 의미로는 '개인이 가진 신체의 색과 가장 어울리는 색'이라고 합니다. 그래서 옷을 입을 때 더 생기가 돌고 활기차 보이도록 연출하는 이미지 관리를 할 수 있는 건데요. 이렇게 옷부터 시작해서 메이크업과 헤어컬러와 스타일, 이미지까지 찾아갈 수 있습니다. 제가 옷을 좋아하는 이유도 옷을 통해 새로운 분위기를 만들어낼 수 있고, 이미지를 만들어내는 걸 너무 좋아합니다. 가장 잘 어울리는 코디부터 색상까지 알게 되다니 저에게도 유용하다는 생각이 들었습니다. 퍼스널컬러 자격증이 있으니까 이걸 이용해서 취업을 하기 위해 알아봤는데요. 자격증 이수한 것과 이력들을 제출했으나 받은 답변은, 자신의 업체만의 전문 교육을 받아야 한다는 것이었습니다. 그래서 거의 등록금같은 큰 금액을 투자해서 오프라인수업까지 듣게 되었습니다. 사실 정부에서 지원하는 비용이 저렴한 퍼스널컬러교육도 있었습니다. 그 교육은 교육기간도 길고, 구체적인 느낌이었습니다. 그러나 저는 생계형직장인으로서 교육기간이 길어지면, 오히려 직장에 투입되는게 늦어지는 거였죠. 고정적인 지출을 생각하면 고민이 많이 되었습니다. 그래도 이론만 배우는 것이 아닌 실제 진행되는 매장에서 교육을 받고, 취업이 보장 된 곳으로 알아봤습니다. 업체별 교육 금액대는 천차만별이었습니다. 정부지원 프로그램은 제가 실제로 내는 비용은 50만원 정도 였습니다. 다른 업체들은 100만원부터 210만원까지 매우 다양했습니다. 또한 어떤 곳은 150만원에 주 5일은 알려주는 곳도 있고, 어떤 곳은 더 금액대가 높은데 주 몇 회 교육을 안 하는 곳도 있었습니다. 제가 선택한 첫 번째 기준은 '알바와 병행할 수 있는가?' 교육만 듣는다고 당장 입금 되는 것은 아니다. 두 번째 기준은 '정말 좋은 양질의 내용을 배울 수 있는가?' '이왕 배울 거 좋은 곳에서 배우자.' 라는 마음이었습니다. 이 두가지 기준으로 저는 알아봤던 곳 중에 제일 비싼 곳에서 알바와 병행하며 교육을 듣게 되었습니다.

퍼스널컬러 이론 교육

처음에 교육을 들으러 가는 날은 참 떨렸어요. 어떤 내용을 배울 지, 알려주실 원장님, 동기분들은 누굴 지 기대가 되기도 했습니다. 그렇게 설레이던 첫 교육은 퍼스널컬러의 역사부터 시작해서 색채, 색감까지 익히는 교육이었습니다. 왜 퍼스널컬러가 중요하고 필요한 지 자격증 공부를 하면서도 느끼긴 했지만 교육을 들으면서 더 구체화 되었습니다. 각 계절별로 어떤 이미지, 특징을 가지고 있는지 머리부터 발끝까지 배웠고요. 색상의 디테일한 톤들에 대해서 배웠습니다. 물감으로도 색감을 알아가고, 색채표로도 살펴봤습니다. 왜 저의 퍼스널컬러 톤을 알지만, 막상 적용하는데 어려움이 있던 이유를 알게 되었습니다. 그 때 진단받았을 때는 베스트는 여름 쿨톤 페일, 세컨드는 봄 페일로 진단을 받았습니다. 근데 저는 고명도의 밝은 파스텔이 잘 어울려서 그런 진단이 나왔지만, 아이보리 컬러가 안 어울려서 혼란스러웠습니다. 그런데 아이보리(웜), 화이트(쿨)로 색상을 웜, 쿨로 구분하게 되면서 그동안의 비밀이 풀렸습니다. 안다고 옷을 사는 것 자체가 쉬운 것은 아니지만, 기준을 알게 되니까 집에 있는 옷도 웜 쿨이 구분이 되었습니다. 마치 화가와 색채 디자이너처럼 색감에 대해서 공부하니까 색의 세계에 눈을 뜨게 된 것 같았습니다. 저는 이렇게 진정한 퍼스널컬러의 세계에 들어가게 되었습니다. 제가 들었던 퍼스널컬러 교육은 주 1회씩, 총 4회에 210만원이라서, 1회당 52만 5천원이었습니다. 다른 동기들도 동일한 가격으로 들었는지, 이런 교육들을 다른 곳에서도 들어봤는 지 등등 여러가지가 궁금했습니다. 그래서 동기분들과 같이 점심을 먹을 때 슬쩍 물어봤습니다. 근데 물어보고 나서, 괜히 물어봤다는 생각이 들었습니다. 교육 이후 일하는 걸 제안 받고, 무료로 배우는 친구가 있었습니다. 심지어 먼저 제의를 받았다고 했습니다. 너무 부러웠습니다. 그 친구는 중국에서 활동하다가 온 친구라 중국어도 잘하고 아주 예쁘고 똑부러진 친구였습니다. 물론 다른 분들은 같은 가격을 내고 교육을 들었습니다. 근데 보니까 다들 기존에 사업을 하시는 분들이 많았고, 대학생분들도 계셨습니다. 뭔가 다들 자신의 사업을 차리거나 자신의 사업에 접목 시키는 느낌이였습니다. 저만 취업을 위해 배우는 느낌이더라고요. 물론 다른 기수나 업체는 다를 수 있습니다. 다른 동기분들은 헤어 디자이너님부터 실제로 퍼스널컬러 사업을 하고 계신데 추가로 배우려는 분, 네일 쪽 하시는 분, 피부 쪽 일을 하시는 분들 등 성공하신 분들도 계셨습니다. 그리고 이렇게 교육을 들으면서 그런 분들을 알게되고 소통하게 된 것도 너무 좋은 기회라고 생각했습니다. 사업을 하시는 분이여서 그런 지 오픈 마인드이시고 잘 챙겨주시고, 솔직하고 너무 좋은 분들이였습니다. 좋은 에너지를 많이 느끼게 된 것 같습니다. 걱정하고 딱딱한 분위기나 사람들도 생각했으나 다들 몰랑 몰랑한 느낌이였습니다! 그렇게 저는 마음을 열고 교육도, 사람도 받아드리게 되었습니다.

퍼스널컬러 실습

이론은 이론이고 막상 실제로 할 생각에 걱정도 되고 막막하기도 했습니다. 실제로 퍼스널컬러 사계절, 톤으로 나뉘어진 진단 천으로, 대상자에게 어떤 계절과 톤이 가장 잘 어울릴 지 진단해보는 시간을 가졌는데요. 진단천을 손으로 잡는 것도 어려웠습니다. 그 천을 댄 후 웜, 쿨 중에 무엇이 어울리는 지, 어떤 계절이 어울리는 지, 어떤 톤이 예뻐 보이는 지를 찾아내야 했습니다. 와. 처음에는 이게 어찌나 어렵고 헷갈리던지요? 사람마다 보는 기준도 다르고 설명도 달랐습니다. 이 방대한 지식을 어떻게 받아드려야 할까. 사실 막상 진행하니 두렵더라고요. 그래도 다행스럽게도 실습시간을 10시간 주셔서, 실제로 진단해주시는 걸 참관해서 보면서 익숙해졌습니다. 어떤 식으로 진행해야 할지도 감이 잡히고, 각각 선생님들마다 스타일이 다르다보니 각 선생님들의 장점을 흡수하게 되었습니다. 게다가 외국분들이 생각보다 많이 오셔서, 통역 선생님이 들어오시기도 했습니다. 그걸 통해서 영어로 설명하는 방법도 좀 배우게 되었습니다. 그리고 저의 창작물 PPT를 만들어야 했습니다. 퍼스널컬러 이론부터 시작해서 계절별 설명과 톤을 잡아갔죠. 과거 MD 경력으로 만드는 것 자체는 어렵지 않았습니다. 근데 구체적인 악세서리, 디자인, 옷의 색감을 찾는 건 너무 어려웠습니다. 디테일한 퍼스널컬러별 옷을 팔지는 않으니까요. 디테일한 옷의 색감 찾기, 서칭의 세계였습니다. 이 후 어떤 식으로 설명할 지 구조와 멘트도 정리해봤습니다. 온라인 자격증을 땄던 내용들도 다시 돌아보면서 공부하고 아주 퍼스널컬러에 젖어들었습니다.

취업이 되지 않다.

교육을 들은 뒤, 취업이 될 거라 생각했지만 그렇지 않았습니다. 인턴을 하기 위해 교육을 들었는데 이게 무슨 일인가. 매우 당황한 저는 아예 원래 일했던 곳으로 취업을 해야 하나, 아니면 고정급여를 낮추고 다른 퍼스널컬러 업체에 가서 새로 배워야 할까? 아주 큰 고민에 빠졌습니다. 그렇게 저는 다른 업체 면접도 봤습니다. 그런데 주 6일 스케줄 근무였습니다. 늦게 끝나면21시 넘게 끝나는 것이였죠. 게다가 처음이라 배우는 걸 가만해서 급여가 심각하게 낮았습니다. 직장을 나온게 잘못한 거 아닐까?, 내가 이렇게 하는 게 맞을까?, 고정 수입이 커야 하지 않을까? 등등 아주 엄청난 많은 고민이 시작 되었습니다. '역시나 안정적인 월급이 최고야' 라는 생각도 들었고요. 왜 회사를 나왔을까? 여러가지 생각들이 스쳐지나갔습니다. 그래도 주저 앉지말자. 여기 저기 정부 지원에 대해서 알아보고 전화하고 문을 두드려봤습니다. '위기는 기회'라는 말들을 생각하면서 사업, 창업프로그램을 아주 열심히 찾아봤습니다. 정말 기관, 각 구청에 전화도 하고, 이곳저곳 알아봤습니다. 그러나 안타깝게도 창업 프로그램들이 다 IT계열 위주로 밀어주더라고요. 뷰티 문화 쪽이 포함되는 프로그램이 없었습니다. 대출을 받으면 진행 할 수야 있지만, 그렇게 시도를 하기에는 두려움과 리스크가 너무 컸습니다. 그래서 사무실을 공간대여 해주는 곳들을 열심히 알아봤습니다. 사무실이 생긴다면 그 사무실에서 진행하면 되니까요. 그것도 여간 쉽지 않더라구요. 일하는 사무실을 제공해주는 곳도 많고, 월세를 저렴하게 받는 곳은 많았는데요. 그 공간에 손님이 와도 되는 구조는 없었습니다. 일만 하는 사무실 그 자체였던 거죠. 정말 막막했습니다. "우선은 고정급이 필요해!" 라는 마음으로 알바를 구해보게 되었습니다. 그래서 면접도 보고 면접에 합격도 했습니다. 게다가 아주 괜찮은 월급이였지요! 그리고 외국계 IT계열이라서 외국어 사용도 하며 실력도 키울 수 있는 좋은 곳이였습니다. 알바를 하면서 창업을 할 지, 창업만 할 지 심각하게 고민을 했습니다. 그런 고민을 하는데, 창업 제의가 들어왔습니다!

2

여름의 화창함

**여름의 뜨거운 해가 태워버릴만큼 힘들기도 했지만,
뜨거운 도전과 열정으로 해쳐나갔습니다.**

본연의 아름다움, 창업을 시작하다!

같은 퍼스널컬러 수업을 들은 동기 분이 저에게 같이 일하자고 제안을 주신겁니다! 그 분은 미용실에서 일하고 계시는 디자이너님인데요. "미용실에 한 부분에 월세를 내고 일해보지 않겠냐"고 제의를 해주신게 아닌가요? 사실 너무 놀라웠어요! 이게 이렇게 일이 풀리나? 그래서 사람들이 교육을 듣고, 인맥을 넓히는 게 중요하다고 하는 걸까? 내가 홍대, 상수 핫플에 샵을 열 수 있나?! 여러가지 희망에 부푼 생각들이 들었지요! 한 편으로는 걱정도 많이 되었습니다. 내가 창업? 잘 할 수 있을까? 손님이 올까? 알 수 없는 미래에 막막함도 있었습니다. 그러나 '이 기회를 놓치면 몇 년간은 이런 기회가 생기지 않을 것이다!' 라고 생각했어요! 그리고 그동안 많은 책들을 읽으면서, 창업에 대한 희망도 생겼었고요. 새로운 것에 대한 도전의 중요성을 많이 깨우쳤습니다. 경험해봐야 다른 것을 도전해볼 수 있죠. 나에게 이런 현실이 생기는구나!? 확실히 도전은 가치 있었습니다. 여러분에게도 그런 도전, 가치에 대해서 이야기 해보고 싶어요. 참 마음을 먹으면 하늘이 도와준다는 말이 이런 걸까요? 그래서 마이너스를 각오하고 도전하게 되었어요! 그렇게 창업을 하게 되니까 많은 것을 알고 느끼게 되었어요. 이래서 경험이 중요한가 싶기도 해요. 온라인 사업이랑 오프라인 사업은 완전히 달랐습니다. 사업, 창업이 궁금하시다면 직접 겪어보는 것도 좋다는 생각이 들어요. 다른 이야기들은 또 다른 이야기니까요. 저도 이런 마음으로 사업을 한 것도 있습니다. 그 경험은 돈 준다고 바로 살 수 있는 건 아니니까요. 상황과 마음, 시간 모든 것들이 되어야 가능한 것 같아요.

창업의 단점모든 것들을 태워버리는 해(SUN)

창업은 불나방 같습니다. 불나방은 왜 불을 향해서 날아드는 습성이 있을까? 사실은 불을 좋아해서가 아니라 빛을 향해 일정한 각도를 유지하면서 나는 특성이라고 합니다. 계속 일정한 각도를 유지하다보면, 나선을 그리면서 결국에는 불빛 주위를 빙빙 돌면서 불속으로 들어가게 됩니다. 마치 창업이라는 일정한 궤도에 들어서게 되는 것일까요? 막상 그렇다고 창업을 안한 채, 직장만 다닌다고 그것도 안정적이지 않습니다. 불나방이 될 수 밖에 없는 현실이죠. 모든 일에는 장단점이 생깁니다. 창업에 대한 부분도 장점과 단점으로 나눠서, 이야기를 해보고 싶네요! 먼저, 창업의 단점을 살펴볼게요. 사실 아주 많은 장점과 데칼코마니처럼 그 반대편인 단점도 많이 있답니다. 장점에서의 단점을 찾아내는 것도 가능해요. 동전의 앞, 뒷면을 뒤집듯이요.

창업의 단점 5가지

[1] 사업의 마진율을 반드시 고려하기(수수료와 멍청비용)

사업을 한다는 것은 들어오는 금액과, 순수하게 나에게 돌아오는 금액은 매우 다르다! 사업을 한다는 것은 우선 사업자신고를 합니다. 세금 관련된 부분도 체크를 해야 하고요 그리고 네이버예약, 문토 앱, 카드결제 등 다양한 소셜폼과 카드회사를 이용해서 결제를 받게됩니다. 네이버수수료, 문토수수료, 카드수수료. 이 모든 것들을 잊으면 안 됩니다. 여러분이 실제로 받는 금액이 생각과 많이 달라질 수가 있습니다. 특히 문토 앱은 수수료가 20%더라고요? 아주 깜짝 놀랐어요! 그에 비해서는 네이버수수료는 아주 착했고요. 카드수수료나 솜씨당, 프립 앱들도 수수료가 만만치 않습니다. 이 부분을 꼬옥 생각하시기! 카드수수료.

제가 또 여기서 멍청비용을 쓴 적 있습니다. 강의를 간 뒤에 카드 단말기로 결제를 해야 하는 상황이었습니다. 사실 단말기를 사용한 첫 결제라 많이 서툴렀죠. 결제가 안 되어서 여러번 시도를 했습니다. 회사에 전화도 해보고, 카드회사 카톡 채널로 연락을 하면서 결제 10번 이상 진행 해봤습니다. 결제 되었다는 알림이 계속해서 안 떴습니다. 이후 한 번의 결제가 되었고, 앱으로 확인했을 때도 한 번의 결제만 확인 되었죠. 아니 근데 이게 무슨 일인가? 나중에 담당자로부터 전화가 왔는데요. 그 10번 이상의 시도들이 다 결제가 되었던 것입니다. 그래서 제가 그 결제 금액을 현금으로 돌려줘야 하는 상황이 되었습니다. 근데 아까 말씀드린 카드수수료가 있지 않습니까? 기한이 마감 되어서 카드결제 취소가 안 되는 상황이었습니다. 취소를 하게되면 며칠 뒤에 처리가 되니까 결제 날짜가 꼬이는 상황이었습니다. 그래서 현금으로 돌려드렸는데요. 그 카드수수료를 고스란히 제가 손해를 봤습니다. 몇 십만원이여. 안녕. 다시 생각해도 아찔한 기억입니다. 이렇게 멍청비용, 여러분은 쓰지 않으시길 바라봅니다. 네 이런 일 말고도 참 별별 일도 다 있었지요. 나중에 멍청비용들 모아서 썰을 풀어볼까봐요.

[2] 사업은 초기비용이 많이 든다.

우선은 금액 이야기. 돈에 대한 이야기 먼저 해볼게요. 처음에 샵을 차리면 인테리어를 해요. 네 먼저 물품만 이야기 해볼게요! 물품 7가지 종류로 361만원 정도가 투자 되었습니다. 퍼스널 컬러 교육비 210만원과 자기계발 200만원과 처음에 사이트에 광고 및 등록할 때 드는 비용 50만원. 총 821만원 정도 들었네요.

이게 시작이었지요. 물품 7가지 종류 부분 같이 살펴볼게요.

1) 커튼 시공: 20만원/ 2) 물품들: 150만원. 이상 전신거울, 여닫이 서랍장, 행거2개, 의자3개, 긴서랍장의자1개, 서랍장, 볼펜통, 볼펜, 긴책상, 종이필름지각 제품별 택배비! (의자나 테이블 들은 제품마다 택배비가 부과됩니다)

3) 관련 서적: 15만원 퍼스널컬러, 체형, 영어관련 책 등등/ 4) 퍼스널컬러 제품들: 150만원. 퍼스널컬러 진단천, 코끼리 행거, 안경, 눈썹, 립컬러 진단제품, 사계절별 립스틱제품, 컬러스와치, 핀 조명2개

5) 강의 갈 때 필요한 물품들: 20만원. 아주 큰 캐리어, 거울, 천, 소품, 이동 조명, 건전지/ 6) 화장 지울 때 사용하는 물품들: 5만원. 미스트, 립스틱들, 물티슈, 머리끈

7) 명함: 1만원. 필요 물품들카드단말기, 물티슈, 냅킨 등등 다양한 부분이 있었지요. 이렇게 물품 7가지 종류로 총 361만원 정도 투자했습니다.

8) 교육비인 퍼스널컬러 교육비용 210만원과 외국인 손님들도 오면서 적극적으로 영어회화가 필요해졌습니다. 영어공부를 위해서 컬컴이라는 영어회화 모임에서 일년 회원권과 스피킹맥스라는 온라인 공부 시스템을 결제하면서 했습니다. 나의 이백만원. 안녕. 이렇게 큰 돈 나갈 일들은 많네요. 투자할 곳이 많은 것, 기회가 많은 것이라 생각하자. 나도 같이 성장하고 발전하자! 이렇게 영어공부에만 총 2백만원 정도 투자했습니다. 이 후 다양한 업체와 사이트에 등록할 때 드는 광고비와 페이를 지불할 게 많았습니다. 시작이 50만원이지 점점 늘어나고 쌓여갔습니다. 최종 광고 투자 금액을 체크하자면 5개월에 9백만원 이상입니다.

이렇게 금액을 먼저 시작하고 준비하고 시작하는 것은 시간이 좀 걸리겠죠. 그래도 벌면서 채우고, 벌면서 채우고를 반복한 것 같습니다. 이렇게 초기에는 구축해야 하고 투자할 것들이 종류별로 다양하게 많습니다. 갑자기 현금으로 큰 돈이 필요할 때도 있고, 급하게 구매해야 하는 물품들도 생겼습니다. 투자금 발생을 생각지 못했던 것은 아니었지만 역시 하나부터 열까지 다 사야하고 투자해야 하는구나를 또 느낀 것 같습니다. 만약에 건물 보증금부터 리모델링까지 해야했다면? 몇 천은 당연하게 필요한 것 같습니다.

[3] 고정적이지 않은 수익

돈을 모으기 위해서는 고정적인 수입이 있어야 하는데요. 저는 본가가 경북인 서울 자취생입니다. 자취생은 숨만 쉬어도 마이너스입니다. 월세, 관리비, 공과금, 차비, 휴대폰비, 식비, 생활비, 경조사비 등 챙겨야 할 집, 사람, 물건 등이 참 많습니다. 그렇다면 고정적인 수익이 없다는 것은 이 모든 것들이 지불되어 나간 그 돈의 빈자리를 채울 수 없다는 의미입니다. 사업을 하면 어떤 달은 5백을 벌더라도 다음 달은 2백을 벌 수도 있습니다. 마케팅 비용(광고 비용)을 어떻게 써야 할 지도 지혜가 많이 필요합니다. 이렇게 나가는 비용은 동일한데 들어오는 비용이 다르다면 큰일입니다. 돈을 모았더라도 다음 달에 그 모은 돈을 사용하게 될 수 있습니다. 그래서 직장인이 이 메리트 때문에 참고 회사를 다닐 수 있는지를 또 깨닫게 됩니다. 따라서 일이 없는 시간에 다른 파트타임 알바를 하거나, 부업을 구해서 하는 것이 안정감을 주더라고요. 주변에 쇼핑몰 하는 지인분들도 꽤 있는데요. 각자 다

워커홀릭이던 ENTJ, 직장인 탈출기

른 야간 도매일을 하기도 하고요. 다른 고정적인 부업일을 하기도 합니다. 이렇게 N잡이 필수가 되는 시대가 맞나봅니다.

[4] 고정적이지 못한 스케줄(feat. 노쇼 고객님들)

하하 네 노쇼를 예상을 못하진 않았습니다. 다만, 참 다양한 분들이 있더라고요. 먼저 연락을 주시고 흥미를 갖지만, 진짜 결제를 하고 오기까지 다양한 과정이 있었습니다. 당연히 여러가지 업체를 고민하고, 가격을 따지는 과정들이 있겠지요. 그래서 연락이 되다가 안 되는 경우도 많고요. 정말 한 10가지 정도 질문하고 조율하다가 사라지는 분들도 많이 있지요. 그리고 약속을 잡은 뒤 그냥 당일에 연락이 안 되시는 경우도 있어요. 그리고 암에 걸렸다고 알려주시면서, 일정을 취소하신 분도 계셨고요. 당일에 연락이 안 되셔서 전화를 드려보니, 전화 연결이 안 되고 문자에도 답장이 없으시더라고요. 이 후 새벽에, 심리적으로 상태가 안 좋았다고 하시면서 주무셨다고 하시더라고요. 그래서 제가 그럴 수 있다고 이해해드리면서 예약금 입금 부분을 말씀 드렸는데요(당시에 예약금 입금을 안 하셨음). 그 뒤로 연락이 안 되시더라고요. 아 그때 느낀 것은 정말 다양한 상황과 입장이 있다는 것을 또 느꼈습니다. 사실 그 분들의 입장을 이해는 합니다. 각자의 상황이 있겠지요. 그런데 저는 MBTI 'J'로서 이 일정에 의해 맞춰서 일정을 짰는데 틀어지는게 처음에는 힘들더라고요. 지금은 대문자 P가 되지는 못했지만 P력이 올라갔습니다. 저는 사람과의 약속에서는 취소되거나 미뤄지는 것은 그래도 괜찮은 편인데요. 사업은 아무래도 돈과 연결되어 있다 보니까 더 크게 와닿았나봐요. 사업자, 자영업자분들 화이팅입니다!

[5] 고정적으로 나가는 비용(광고비용)

고정적으로 나가는 금액이 있다. 고정적인 생활비마냥, 사업에도 고정적으로 나가는 금액이 있습니다. 들어오는 돈은 고정적이지 않은데, 고정적으로 나간다니? 이것 참 곤란한 일이 아닐 수 없습니다. 노출을 시키려면 '광고'를 해야 하기 때문에 다양한 앱, 웹 사이트를 이용해서 광고를 진행합니다.

1) 먼저 인스타 광고도 진행해봤습니다. 하나의 게시물에 인기가 좋을 경우 광고로 비용을 지불하는데요. 이것도 생각보다 비용이 있더라고요. 비용 설정이 가능하긴 한데요. 한 게시물당 6만원 정도 투자됩니다. 기간은 일주일 정도 진행 됩니다. 하나의 게시물만 하는 것은 아니고요. 여러개를 할 경우 생각보다 금방 비용이 투자 됩니다. 여기서도 멍청 비용을 투자한 적이 있답니다. 이게 광고 진행 중단을 하면 비용이 중단 되는 줄 알고 중단해본 적이 있습니다. 그건 초기비용으로 지불 되었기 때문에 후불 개념이 아닙니다. 당연히 비용을 받을 수 없습니다. 처음에 이런 시스템 자체를 몰라서 다른 앱과 헷갈려서 중단을 했던 적이 있습니다. 그렇게 몇 만원 안녕. 한 번 광고 진행한 피드는 글이나 사진 수정(편집) 자체가 안 됩니다. 그러니 오타나 체크할 부분들을 꼭 확인 후 광고를 돌리길 바라요.

2) 그리고 '숨고'라는 앱은 고객이 견적을 요청하면 사업자들이 견적서를 보내는 형식입니다. 사업자가 견적서를 보내려면 광고비를 지불하고 숨고캐시를 구매해야 합니다. 이후 바로견적 시스템을 등록하면 하루에 몇 개의 개수를 고객에서 자동으로 견적서가 보내집니다. 고객이 봤을 경우 비용이 지불됩니다. 그러나

42시간 동안 고객이 보지 않는다면 캐시가 환불되는 시스템입니다. 숨고를 통해 강의도 시작 하게 된 만큼 숨고 자체는 나쁘지 않습니다. 그러나 견적서를 보내고 제 견적서가 선택이 안 될 경우에는 계속해서 캐시가 소진 되는 것입니다. 생각보다 캐시는 금방 없어지고 충전시기는 빠르게 찾아옵니다.

3) 택시비도 왕복으로 들기 때문에 많이 듭니다. 강의를 출강을 나가거나 일일클래스를 가게 될 경우 캐리어에 모든 천과 코끼리 행거 등 많은 준비물 들을 챙기고 택시를 타게 됩니다. 저는 아직 차가 없다보니까 택시를 타고 이동하는데요. 원래 택시비 때문에 올 때는 전철을 이용하곤 했는데요. 강의가 끝나면 체력적으로 너무 지쳐서 전철을 타고 이동할 힘이 없습니다. 그래서 택시에 몸을 맡기고 쉬거나 다른 업무를 하게 됩니다. 또 러시아워 시간일 경우 택시비가 더 올라갑니다. 강의를 하는 것 자체는 너무 좋지만 이런 비하인드 과정은 쉽지는 않았습니다. 이 외에도 다양한 부분으로 고정비용이 발생 되었습니다. 돈이 고정적으로 들어오는 구조를 만든다면 투자하는 건 괜찮을 것 같습니다. 초반에 투자하는 시기가 있고, 그 다음에는 거두는 시기가 있으니까요. 처음에는 광고와 이벤트를 진행해야 손님이 오지만, 나중에는 리뷰를 보고 손님이 먼저 연락하고 오는 경우도 있습니다. 그 시기를 잘 버티면 될거예요.

가을의 결실
창업의 비밀 장점과 그 결과

퍼스널컬러를 알게 된 영향력주변인들의 변화

퍼스널컬러로 창업을 했기에 제 지인들이 제 샵에 많이 와주셨습니다. 퍼스널컬러라는 직업으로 일한다고 했을 때보다 창업을 한다고 하니 감사하게도 더 마음을 써서 와주셨습니다.

그렇게 진단을 받은 뒤 주변분들에게 변화가 생겼습니다. 패션디자이너를 만날 때는 패션을 신경 쓰게 되고, 메이크업 전문가를 만날 때는 메이크업에 대해 신경을 쓰게 되는 것처럼요. 퍼스널컬러 컨설턴트를 만난다면 이런 보여지는 부분에 대해 신경을 쓰게 된다는 사실을 알게 되었습니다! 이렇게 놀라운 일이? 저는 그저 하나의 직업을 구했을 뿐인데 이런 직업이 가진 힘이 있다니?! 사실 경찰 쪽이나 법조계에서 일하시는 분들을 만나면 착한 사람이 되어야 할 것 같은 기분은 있었지만, 이렇게 뷰티계열도 그런 영향력이 있다니 참 신기한 일이였던 것 같습니다. 그런 일들을 한 번 정리해보겠습니다!

[1] 퍼스널컬러 진단이 끝난 뒤 많은 것을 알게 되었다면서 고마워 해주실 때.

이렇게 말씀해주시는 분들이 참 좋았습니다. 저는 그 사람의 본연의 아름다움을 찾아주고, 좋은 정보와 지식을 줘서 더 아름다워진다면 그게 참 뿌듯했습니다. 왜냐하면 자기가 안 좋아하는 컬러가 베스트 컬러로 나올 때도 종종 있습니다. 자신이 예상했던 계절과 색상이 안 나올 때도 있죠. 그럴 때는 그 계절과 색상에 대한 매력도 이야기 해보고 다른 해결 방안들도 같이 제공해주고 있습니다. 자신에게 가장 잘 어울리는 이미지와 색상, 코디를 찾아주게 되면 너무 뿌듯해요.

[2] 알려드린 헤어, 메이크업, 코디 등 직접 실천하고 말해주실 때.

헤어 컬러 염색을 한 뒤 알려주시는 분이나, 이마라인 정리, 눈썹 정리, 메이크업 제품 구매 및 화장, 옷 구매, 악세서리 등 다양한 부분을 시도 해보고 공유해주시는 분들을 꽤 많이 만나게 되었어요. 그리고 그렇게 맞는 계절로 바꾸니까 예뻐지고 멋져졌다고 이야기 해주실 때 너무 뿌듯하고 고마웠습니다! 그래도 제 말을 믿고 실천해봐주신게 참 좋았습니다. 문자나 SNS로도 알려주시지만 직접 만나서도 이것저것 변화한 것을 알려주고 스스로 뿌듯해하시는 모습을 볼 때 너무 훈훈했습니다.

[3] 물건을 구매할 때 맞는 지 확인 요청해주실 때.

남녀 구분 없이 물건을 구매할 때 메이크업, 안경 아이템이나 옷 컬러에 대해 물어봐주시는 분들이 계신대요. 저도 도와드리면서 더 디테일하게 공부가 되기도 하고요. 어떤 걸 어려워하는 지 같이 알아가고, 추천해줄 때도 편하게 추천해주게 됩니다. 그리고 아이템을 추천한 뒤에 그걸 사용했을 때 더 멋져지고 변화되면 어찌나 뿌듯하던지요! 선생님이 되는 기분입니다. 학생들에게 모르는 내용을 알려주고, 학생들이 그 내용을 토대로 시험을 잘 본 기분이랄까요.

[4] 자신의 퍼스널컬러에 대해 궁금해서 물어봐주실 때.

퍼스널컬러 자체에 궁금증이 있으신 분들은 저보고 자신의 퍼스널컬러는 무엇인지 다른 사람들의 퍼스널컬러가 보이는 지 등 많이 궁금해하십니다. 이번 글쓰기 프로젝트에서도 그렇게 관심을 가져주신 분들이 계신대요. 가장 먼저는 글쓰기 프로젝트를 진행할 때 작가님께서 자신의 퍼스널컬러는 어떤 것일 것 같은 지 물어봐주셨습니다. 그 날이 작가님을 두 번째로 만났던 날이었습니다. 저번에는 밝은 아이보리 계열의 옷을 입어주셨었고, 그 다음은 차콜 느낌의 톤 다운 된 옷이였습니다. 두 개의 옷을 비교해 봤을 때, 저번이 더 아름다우셨고요. 펌의 헤어스타일이 잘 어울리셨습니다. 봄웜톤이 아닐지 말씀드렸더니, 어떻게 알았는 지 신기해 해주셨습니다! 그리고는 이 후 몇 주가 지난 뒤 합평회 때 놀라운 이야기를 해주셨습니다. 저를 만나는 날에는 옷을 고를 때 더 예쁜 옷을 입고 싶은 고민이 든다는 겁니다. 봄웜에 맞는 옷을 입고 싶다는 것이었습니다! 그러면서 작가님도 작가라는 직업을 가지게 되니까, 주변인들이 말을 더 예쁘게 하게 된다는 이야기를 알려주셨습니다. 세상에. 그렇게 생각해보니 제가 이 퍼스널컬러 직업을 가진 뒤로 저만 변한 게 아니었습니다. 저의 주변 사람들도 아름답게 변화해가고 있었습니다. 자신에게 맞는 컬러와 메이크업 등을 해가면서 자신의 스타일을 찾았습니다. 이런 영향력에 대해서 이야기 해주시니까 참 감사했습니다.

그리고 8주 프로젝트 중 7주차에 합평회 메이트가 생겼습니다. 저의 동기분께서도 사실 처음 만났을 때부터 물어보고 싶었는데 못 물어봤다면서, 자신의 퍼스널컬러를 물어봐주시는게 아닌가요! 세상에 정말 사람들이 의외로 퍼스널컬러에 대해서 들으면 관심을 갖고 궁금해하는구나! 라고 새삼 느끼게 되었습니다. MBTI처럼 자신에 대해 알고, 어딘가에 소속되는 것이 인간에게 참 좋은 것이구나 하고 또 느끼게 됩니다.

창업은 위로와 용기가 필요한 것 같습니다.

시간 투자도, 마음 투자도 꾸준히 하는 것이 중요한 것 같습니다. 제가 이렇게 책을 쓰게 되는 것도 어릴 때부터 독서에 지대한 관심이 있었고, 그걸 글을 써내려갔습니다. 이처럼 창업도 하루하루 꾸준히 열심히 하다보면 또 자리를 잡게 되는 것도 있는 것 같습니다. 왜냐하면 요즘 창업하고 6개월을 못 버티는 경우가 꽤 많은데요. 그것만 이겨내고 꾸준함이 되고, 그게 매력이 될 수 있습니다. 꾸준히 해봅시다.

[1] 하고 싶었던 강의를 하게 되었던 것

강의 하게 된 이야기, 저는 강연을 참 좋아했습니다. 세바시 '세상을 바꾸는 시간 15분', 'TED : Technology. Entertainment. Design' 라는 프로그램을 보면서 컸습니다. 지금은 유퀴즈도 자주 보기도 하는데요. 그런 방송에 나오는 분들의 사연을 보면서 더 꿈을 키워갔습니다. 세바시는 한국인분들이 많이 나오다 보니 더 롤모델을 삼고 싶었던 것 같습니다. 제가 하고 싶던 강의를 하게 되는 그 꿈을 그려봅니다. 나중에 세바시, 테드에서 강연하는 그 날까지 나아가보고 싶습니다. 제가 힘을 얻었던 것처럼 다른 이에게, 다른 사람들에게. 에너지를 주고 싶었습니다. 그랬던 저는 드디어 강연을 하게 되었습니다. 처음에는 숨고라는 앱에서 고등학교 대상 강연 제의 연락이 왔었고요. 그 다음에는 크몽으로 초등학교 선생님 대상 강연 제의가 왔습니다. 이 후에는 숨고로 고등학생 대상 강연 제의도 받았습니다. 여러분들도 활용해보면 좋겠네요! 그리고 일일클래스, 원데이클래스도 꾸준히 열게 되었고요. 일일클래스 초청도 받았습니다. 그리고 직업박람회에서 하루에 51명을 진단해보기도 했습니다. 이렇게 여러가지를 하게 될 줄이야! 정말 저도 꿈꿔왔던 강연을 하게 되었네요. 강연, 강의를 하고 싶어하는 분에게도 희망이 되면 좋겠네요. 여러분에게도 좋은 영향이 될 수 있으면 좋겠습니다.

[2] 원래 알던 지인들과 오랜만에 다시 연락하고 만날 수 있던 것(인류애 생성)

소중한 분들을 오랜만에 만나고 최근 근황을 나눌 수 있어서 좋았어요! 사실 현실을 살기에 바쁘다 보니 연락을 하고 만나자고 이야기 해도, 막상 날짜를 잡고 보는 건 시간이 많이 걸리더라고요. 덕분에 만나게 되는 계기가 생겨서 좋더라고요. 예전에 친했던 분들도 다시 만나니 추억도 회상할 수 있고 참 좋더라고요. 아는 분들이 오니까 든든하기도 했습니다. 이래서 사업하는걸까? 싶었어요. 지식이나 정보를 제공해주는 것 자체도 참 좋아해서, 좋은 정보를 제공해서 도움을 얻어가는 거 보니까 참 뿌듯했어요. 제가 일하는 매장에 시간과 마음을 내서 찾아와 주고요. 맛있는 음식이나 디저트, 음료를 챙겨와주신 분들도 많고요. 그 외에도 화분부터 시작해서 꽃다발, 음료, 케이크, 핸드크림, 책 등 아주 다양한 선물도 많이 사와주셨어요. 너무 감동이고 든든했어요. 집들이를 한 기분이였습니다. 진단 받으신 뒤나 이전에 다른 샵에서 받으셨던 분도 다른 지인들에게 소개해주신 분들도 많았고요. 이렇게 마음으로나 물질적으로 도와주셔서 너무 고마웠습니다. 여러모로 도움도 많이 받아서 너무 감사했습니다. 이런 기분은 초등학생 때 제 친동생이 생겼을 때 느꼈던 감정이였던 것 같습니다. 원래는 아기를 무서워했습니다. 항상 시끄럽게 울고, 엄마만 찾는 존재로 느껴졌습니다. 그런데 막상 동생이 생기니까, 너무 사랑스러웠습니다. 이렇게 작은 존재가 숨을 쉬고 움직일 수 있다니! 나중에는 부모님마저도 못 알아듣는 동생의 옹알이를 알아듣게 되었지요. 놀아주고, 씻겨주고, 밥 먹여주고, 재워주고, 기저귀도 갈아주고, 포데기에 싸매서 업어주고, 유모차도 태워주었습니다. 지금 생각하면 어떻게 그 모든 것을 했나 싶네요. 그게 또 재미와 행복이 되어주었던 것 같습니다. 그 뒤로 저는 아기들을 사랑하게 되었답니다. 초등학교 때는 용돈도 얼마 안 되는데, 그걸 모으고 모아서 선물을 사주곤 했습니다. 그 때처럼 창업을 하고 비슷한 기분과 감정을 느끼게 되었던 것 같습니다. 막상 동생이 생기기 전에 알지 못했던 것을 동생이 생기니 알게 되었던 처럼요. 사업을 하기 전에는 알지 못했던 막연한 지식, 감정, 생각들을 알게 되었습니다. 사업을 하기 전 후의 생각 변화가 커진 것 같아요. 특히나 사업의 눈으로 보게 되는 것들도 많고요. 가족부터, 친한 친구들, 언니 오빠들, 동생들, 전 직장동료님들, 교회분들, 당근 카공모임 등 와주신 모든분들 너무 감사합니다! 제가 정말 많이 애정합니다. 여러분들이 있어서 이렇게 할 수 있었던 것 같아요. 꼭 창업이 아니더라도, 오랜만에 여러분이 연락을 한 번 남겨보는 것도 좋을 것 같아요. 그렇게 또

워커홀릭이던 ENTJ, 직장인 탈출기

하나의 시간이 열리더라고요. 가족들과도 이런 시간이 생겨서 좋았습니다. 일상을 기록하고 남기는게 좋았어요. 가족 중에 언니가 가장 먼저 와주었습니다. 언니의 퍼스널컬러를 알게 된 것도 재밌었고요. 저와 언니는 같은 여름 쿨톤이었습니다. 가족끼리는 닮는 걸까요? 제 친동생은 다른 샵에서 진단 받았을 때 여름쿨톤이였는데요. 우리 모두 여름 쿨톤이라니 신기했습니다. 언니가 와서 응원의 마음을 전해주었습니다. 마음이 든든하고 응원 받는 이 기분이 참 뭉클하더라고요. 끝나고 같이 밥도 먹고 카페도 가고 홍대 데이트도 했습니다. 언니에게는 사랑스러운3명의 아이가 있습니다. 3명의 조카라니, 애국자 우리언니! 너무 자랑스럽네요. 언니가 낮에 카페에서 햇빛을 쬐는게 너무 좋다고 하더라고요. 저도 이게 참 좋더라고요. 자유롭게 일정 조율 가능한 부분이 저도 이렇게 좋은데, 우리 언니에게는 참 간만의 일이었다고 하니 마음이 참 그랬습니다. 이렇게 언니랑 힐링도 해서 좋았습니다. 보통은 제가 언니네 집에 놀러가서 조카들을 보다가 육퇴(육아퇴근)를 하게 되면 형부가 집을 지키고요. 언니와 둘이 카페를 놀러 가거나 아니면 옆 방에서 수다를 떨고는 했었거든요. 이렇게 또 따로 시간을 내서 단 둘이 보는 건 오랜만이라서 새롭고 좋았습니다. 그리고 부모님이 오셨습니다. 경상북도에 계신 부모님이 친히 서울, 홍대 매장까지 와주셨습니다. 부모님을 맞이하러 지하철역으로 갔는데요. 부모님을 기다리는 마음이 되게 묘했습니다. 보통은 차를 이용해서 올라오시거나 다른 곳을 가신 뒤에 만나고는 했었는데요. 이렇게 매장에 오기 위해 부모님이 오신 적은 처음이라서요. 부모님이 오시니까 설레고 긴장되기도 했습니다. 부모님을 역에서 기다리니, 마치 학부모가 되어서 자녀가 하교하는 걸 기다리는 기분이더라고요. 부모님은 이런 마음이셨을까요? 전철이 한 대씩 오고 사람들이 우루루 내리면서 저기에 부모님이 계실까 보는 마음이 참 신기했습니다. 기다리는 사람의 기분을 알게 된다랄까요? 매장에서도 손님들을 기다릴 때 이런 마음이 들곤 합니다. 손님이 오기 전에 바닥부터 청소하고 책상, 의자 셋팅 및 공간 정리도 하고요. 테이블 위에 퍼스널컬러 체크 용지들도 준비해두고요. 이렇게 기다리는 사람의 입장이 되어보는 것도 좋았습니다. 그렇게 부모님을 만나니 너무 반갑더라고요. 멀리서부터 보이는 부모님의 모습이라니, 가슴이 뭉클해지는 기분이었습니다. 많고 많은 인파 속에 아는 얼굴, 게다가 부모님의 얼굴이라니! 너무 반가웠습니다. 그렇게 부모님과 자주 가는 한식 맛집에 함께 갔습니다. 부모님도 맛있어 하시고 근황 이야기도 나누며 이야기 하고 매장으로 이동했습니다. 매장에 도착하고 매장 예쁘다고 칭찬도 해주시고, 같이 둘러보고요. 진단도 시작했습니다. 사실 부모님이 어떤 계절이 나올까 되게 궁금했었는데요. 둘 다 겨울쿨톤이 나왔지 뭐예요! 우리 가족들은 모두 cool 한 쿨톤이였습니다. 아주 멋쟁이 가족이네요. 특히 부모님은 보라색을 좋아하시는데요. 겨울쿨톤은 보라색이 아주 멋스럽게 잘 어울리는 컬러입니다. 진짜 부부가 퍼스널컬러 계절까지 같다니 시밀러룩이 찰떡인 이유가 있었습니다. 이제 부모님 옷이나 넥타이나 아이템을 선물할 때도 겨울쿨톤으로 선물하면 되니 좀 더 잘 어울리는 걸 드릴 수 있어서 너무 좋았습니다. 이렇게 가족끼리 퍼스널컬러도 하고 추억을 쌓을 수 있어서 너무 뜻깊은 시간이었습니다.

[3] 새로운 사람들을 만나고, 귀한 인연들이 생긴 것

　서비스업과 사무직 업무 둘 다 해본 사람으로서, 저는 서비스업이 나쁘지 않더라고요. 사실 서비스업이 더 힘들게 느껴지는 시기도 있었습니다. 그래도 확실히 새로운 자극을 주고 변화가 좀 더 큰 건 서비스업인 것 같습니다. 물론 사무직도 새로운 업무나 사람들을 만날 수 있지만요. 확실히 그 '수량'자체가 다르다고 해야할까요. 이것은 MBTI에 'E'성향처럼, 외향적인 성향에 한정된 이야기 일 수도 있습니다. 그러나 주변 'I'성향의 분들도 새로운 사람과의 만남이 처음에는 어색하지만, 새로운 자극으로 좋다고 하는 분들도 꽤 만나보게 됩니다. 각자 에너지를 얻는 방향은 다를 수 있지만 새로운 사람과 경험은 또 다른 깨달음을 주는 것 같습니다. 그리고 다양한 나잇대, 직업군분들을 만나보면서 새로운 생각을 해보게 됩니다. 반면교사를 삼게 되는 분도 있습니다. 아 나는 저렇게 행동하거나 말하지 말아야지. 그러나 반대로 아주 매력적인 분들도 만나보게 됩니다. 나도 이렇게 말하고 행동해야지. 이게 참 매력있고 멋있는 모습이구나. 글로만 알게 되는 게 아니라 직접 겪게 되니 또 새로웠습니다. 특히나 오히려 나잇대가 있는 분들이 더 배려심있고 이야기를 잘 들어주시고 소통하는 것을 보게 되어요. 오늘도 40대 외국인 팀과 한국인 팀들도 만나고, 10대 팀도 진행을 했는데요. 10대분들도 착하고 나이스 했습니다. 제가 언제 또 10대 친구분들과 이야기를 나눠볼 수 있겠어요:) 그런데 확실히 부끄러움이 엄청 많으시거나 되게 솔직하고 질문이 많은 순수한 분들이 많았습니다. 그리고 40대분들은 '되게 깐깐하거나 무서우면 어쩌지?' 라는 혼자만의 착각이 있었는데요. 오히려 40대 분들이 더 나이스하고 친절하게 잘 대해주

셨습니다. 물론 다른 나잇대 팀분들도 친절하셨는데요. '사람을 대하는 능숙함'이 확실히 다르셨습니다. 요즘 서점에서도 베스트셀러 순위에 가면 "40대, 푸바오, 쇼펜하우어, N잡" 등이 핵심인 이유를 느꼈습니다. 이제는 과학의 발달로 나이에 비해 많은 분들이 젊게 살고 있습니다. 건강 뿐 아니라 얼굴과 패션 뷰티 쪽도 훨씬 젊어졌습니다. 이제는 나이에 맞는 옷이라는 개념이 사라지고 원하는 스타일의 옷을 입는 시대가 왔습니다. 즉 40대인분들이 40대처럼 안 보이시기도 하고요. 이제 시작인 느낌입니다. 아직 한창인 느낌이 들더라고요. 예전에 생각하던 40대와는 많이 다른 느낌이였습니다. 물론 Case by case로 케바케이지만 예전과 다른 것은 맞았습니다. 뷰티에도 제한이 없어졌습니다. 다양한 나잇대와 직업계층의 분들을 만나면서 저의 시야의 폭도 넓어진 기분이였습니다. 사회생활을 잘하시는 느낌이 물씬 풍겨졌습니다. 이렇게 상대방을 기분 좋게 하고 에너지를 불어넣어주면서 본인 자체에 대해 솔직한 느낌이였습니다. 저도 나중에 그런 사람이 되고 싶다고 느낀 것 같아요. 멋지게 나이들고 싶다. 이런 인사이트가 왔다는 사실이 좋았습니다. 왜냐하면 사실 퍼스널컬러 진단을 하면 말을 계속해서 거의 쉬지 않고 합니다. 게다가 색상을 보면서 진단을 하는게 뇌에 피로도가 상당히 높은 일입니다. 색을 지속해서 보고, 새로운 색으로 보면서 비교하는 일이기 때문이죠. 어찌보면 참 에너지가 빠지는 일이긴 합니다. 말을 가볍게 하는 것도 아니고 지식을 제공하면서 이해시켜줘야 하기 때문에 지치고 피곤하기도 하고요. 이렇게 에너지가 쓰이지만 또 반대로 이렇게 새로운 분들의 생각, 표정, 리액션을 통해서 새로운 것들을 알게되기도 하고 에너지를 얻기도 합니다. 이렇게 상부상조 해가는 것 같습니다.

그리고 귀한연인은 이렇게 퍼스널컬러 프로그램을 진행하면서 새롭게 만나게 된 분들인데요. 처음에 고객을 만날 때는 긴장도 많이 했고요. 혹시나 내가 잘못 진단하면 어쩌지? 실수하면 어쩌지? 이상한 사람이 오면 어쩌지? 등 아주 다양한 질문들과 생각들이 뇌 속을 움직였습니다. 최대한 서비스 마인드로 친절한 서비스는 제공했으나 일, 업무적으로 대하게 되었었습니다. 왜냐하면 일을 먼저 제대로 해야 했으니까요.(긴장했다고 할 수 있죠 하하) 근데 먼저 손을 내밀어주신 분들도 많았습니다. 첫 번째로는 제가 인스타를 통해 진행했던 이벤트를 통해 알게 되었는데요. 게시글을 올려주시면 무료로 진행을 해드리는 이벤트였습니다. 당첨되셨던 분은 필라테스 선생님이셨는데요. 진단 할 때도 힘드실까봐라고 하시며 먹을 것을 챙겨와주셨어요. 그리고 끝나고 같이 식사하자고 말해주시면서 같이 즐겁게 식사도 하고 이것저것 추억 이야기도 했다. 또한 프리랜서의 삶에 대해서 이야기를 나눴고, 공감하고 새롭게 알게된 것들도 있었다. 그리고 결제까지 해주셨다. 어찌나 감동인지, 무료로 이벤트를 기획하면서 나름 투자, 손해를 생각했던 이벤트였는데요. 오히려 위로받고 얻어가는 기분이었다. 참 선행을 베풀면 오히려 그것을 받게 된다. 이런 것도 참 감사합니다. '그냥 일하는 사람1(일)'로 생각하는 게 아니라, 사람 대 사람으로 대해주셔서 너무 고마웠습니다. 두 번째는 문토라는 앱을 통해 일일클래스를 신청해주신 분이였는데요. 퍼스널컬러 진단 할 때도 디테일하게 물어봐주시고 재밌게 분위기를 만들어주셨다. 진단이 끝난 후 저녁을 먹었는지 물어봐주시면서 같이 먹을 지 챙겨주셨다. 그리고 같이 먹게 되었는데, 알고 보니 한 분은 남자친구가 제가 살던 본가에 사는 분이였다. 이런 저런 일들을 들으면서 새로운 경험과 가능성을 보게 되고, 이런 일들이 참 흥미롭다고 느껴졌다. 이 외에도 다양하게 저에게 에너지를 주시는 분들이 많이 계셨습니다.

[4] 사업에 대한 눈이 트인 것

사업이란 무엇인가?! '사업의 사전적인 의미는 어떤 일을 일정한 목적과 계획을 가지고 짜임새 있게 지속적으로 경영함. 또는 그 일.' 이라고 합니다. 이 문장을 총5개로 나눠볼 수 있습니다. 1.어떤 일을 2.일정한 목적과 계획을 가지고 3.짜임새 있게 4.지속적으로 5.경영함. 또는 그 일

1.어떤 일이란? 퍼스널컬러라는 일이고 2.일정한 목적과 계획은? 목적은 사람들에게 자신만의 아름다움을 찾아주고 싶다. 계획은 단순히 컬러만을 알려주는 것이 아니라 이미지도 만들어주고 베스트, 세컨 컬러를 알려주고 워스트 컬러를 구분하게 해준다.

3.짜임새 있게? 프로그램 진행함에 있어서 스스로 참여하는 부분도 넣고, 실생활에서 적용할 수 있도록 정보를 제공한다. 4.지속적으로? 퍼스널브랜딩을 통해서 마케팅만 하는 것이 아니라 고객이 나를 찾을 수 있게 만든다. 꾸준히 정보를 공유한다.

5.경영함. 어떤 플랫폼으로 어떻게 광고하고 마케팅할 것인가? 사업은 다른 말로는 퍼스널브랜딩이라고도 이야기 할 수 있습니다. 먼저 브랜딩에 대해서 전문가 선생님께 배웠습니다.

Q.'브랜딩' 이라고 하면 어떤 것이 떠오르세요? A.저는 브랜드를 만들어지는 과정? 이런 게 떠올랐었는데요. 먼저 '브랜드

(Brand)'에 대해서 설명해주셨어요. 브랜드는 구별짓다. 즉 브랜딩은 타인들과 나를 구별짓는 과정인 것이죠. 각 회사들이 어떤 식으로 브랜드를 만드는 지 그리고 마케팅과는 어떤 차별이 있는 건 지 등등 자세히 잘 알게 되었어요. 선생님의 강의를 들으니까 너무 이해가 되고, 어떻게 해야 할 지 감이 잡혔었는데요. 그렇다면 나와 타인을 어떻게 구별지을 수 있을까? 먼저는 나에 메리트, 나의 가치, 장점, 차별성이 있어야 가능하겠죠. 그렇다면 저의 차별성은 무엇으로 할 지 고민이 시작 되었습니다. 저는 앞으로 '퍼스널컬러 컨설턴트' 사업가가 되는 것이 꿈인데요. 요즘 퍼스널컬러에 대한 관심도 다양해졌고, 그만큼 잘하는 곳, 경쟁사도 많으며 레드오션인 상황입니다. 그럼 제가 이 곳에서 살아남으려면 어떻게 해야 할까?! 또한 내가 정말 하고 싶은 메시지는 무엇일까? 제가 생각하고 있는 미션은 '사람의 본연의 아름다움을 찾아주고 싶고 그 아름다움을 발전 시켜주고 싶다.' 타켓은 20대, 관심이 있어서 이것저것 뷰티 쪽을 알아봤지만 자신에게 맞는 건 뭔 지 몰랐던 사람. 아름다워지고는 싶어서 남들 하는 것을 따라하느라 정말 나를 위한 아름다움을 못 찾은 사람입니다. 이런 퍼스널브랜딩, 마케팅에 대해서 이곳저곳 물어보고 다니고, 사업하는 친구들에게도 많이 물어봤습니다. 저도 이것저것 시도하고 실패하면서 사업이란 어떤 식으로 해야 할 지 좀 알게 되었어요. 마케팅도, 운영방식 등 프리랜서의 비밀을 알게된 기분입니다. 직장 다니면서 편의점 야간알바 투잡으로 일하던 때도 있었는데요! 벌써 퍼스널컬러의 창업, 사장, 대표가 되다니 너무 신기해요! 지금은 홍대, 상수에서 퍼스널컬러진단도 하고 있고 제가 배웠던 컬러플레이스 업체에서도 프리랜서 개념으로 진

단을 하고 있습니다! 또한 꿈꿔왔던 초등학교선생님 대상 강연, 고등학생 대상, 강의, 일일클래스 진행도 하고 있습니다. 이번에는 정말 여러가지로 활동 중인데요! 총15가지로도 활동 중이에요. 1.기사 2.문토 앱 3.크몽 앱 4.탈잉 앱 5.솜씨당 앱 6.온오프믹스 사이트 7.숨고 앱 8.꿈길 사이트 9.인스타 SNS 10.카카오톡 채널 11.당근 앱 12.네이버에 이름 등록 13.프립 앱 14.블로그 15.유튜브 까지 진행해봤습니다. 다양한 앱과 이 중에 여러분이 편하신 걸로 함께 만나봐요. 여러분들도 창업을 하고 싶다면 이런 앱들을 활용해보면 좋을 것 같아요.

[5] 내가 좋아하는 것과 싫어하는 것을 확실하게 구분할 수 있게 된 것

저는 메이크업을 받는 것, 네일을 받는 것은 참 좋아합니다. 그래서 해주는 것도 좋아할 줄 알았는데 아니었습니다. 퍼스널컬러는 일회성이다 보니, 단골이 올 수 없는 구조입니다. 그래서 꾸준히 올 수 있는 구조를 만들어야 했어요. 그래서 메이크업 네일을 배우려고 했으나, 관심이 없었습니다. 그걸 알게되면서 좋아하는 것을 해야겠다는 생각이 들었습니다. 제가 글쓰는 것을 하게 되었다는 사실을 깨닫게 되었습니다. 김숙 개그우먼님이 옷가게 창업한 이야기 들어보셨거나 아시나요? 옷 가게를 창업한 후 자신이 '사람 만나는 것을 좋아하지 않는다.' 그래서 자기 매장에 오는 손님을 멀리서 구경하거나 도망다녔다고 했는요. 이것처럼, 상황을 딱 마주한 뒤 진정으로 좋아하는 것을 알게 되었습니다.

4

겨울의 유니크함

퍼스널컬러 속 사계절에 대한 이야기

계절에는 정답이 없고,
각자의 계절에는 각자의 매력이 있다.

퍼스널컬러로 보는 사계절에 대해 더 살펴볼게요.

　-**봄** 계절은 새싹이 자라고 시작되는 분위기입니다. 병아리 같은 작은 동물부터 다람쥐 같은 귀엽고 밝고 상냥한 이미지입니다. 음료로 비유하자면 오렌지주스, 과일주스류와 스파클링, 탄산류입니다. 대표적인 여자 연예인으로는 소녀시대윤아, 츄, 아이유 님과 남자 연예인은 최우식, 차태현 님입니다. 밝고 따뜻한 레드 비비드 컬러와 옐로우 색상이 옷이 찰떡으로 잘 어울립니다. 눈동자가 밝거나 맑은 색이 많습니다. 기본 베이직 컬러(데일리 템이나 정장으로 어울리는 컬러)는 아이보리, 베이지, 브라운 컬러가 찰떡입니다. 헤어컬러로 밝은 옐로우 브라운이 잘 어울립니다. 헤어 스타일은 펌이 무조건 잘 어울리며. 컬은 너무 두껍지 않고 볼륨이 과하지 않으면 됩니다. 패션 코디로는 후드, 면바지, 트위드 세트의 귀여운 남사친, 여사친 룩 느낌입니다. 웜이다 보니 따뜻하고 온화함이 잘 어울립니다. 악세서리는 로즈골드 컬러에 꽃 모양을 추천합니다.

브랜드 : 스파오, 에잇세컨즈아이템후드, 옐로우 색 잘 어울림, 밝고 따뜻한 느낌

-**여름** 계절은 차가워진 밤에 꽃이 핀 분위기입니다. 토끼같은 작고 맑은 동물부터 사슴같은 맑고 청순한 이미지입니다. 음료로 비유하면 포카리스웨터 같은 이온음료, 소주, 화이트 와인 류입니다. 대표적인 여자 연예인으로는 전지현, 손예진, 김고은 님과 남자 연예인은 차은우, 유재석 님입니다. 맑고 단아하고 부드러운 파스텔 컬러와 한복이 너무 잘 어울립니다. 눈동자는 다크 브라운 계열이 많은 편입니다. 기본 베이직 컬러(데일리 템이나 정장으로 어울리는 컬러)는 화이트, 그레이, 네이비 컬러가 찰떡입니다. 헤어 스타일은 자연스러운 컬이 잘 어울립니다. 헤어컬러로 자연모 컬러가 그레이 컬러, 다크 브라운 컬러가 잘 어울립니다. 과한 펌이나 너무 스트레이트 직선 느낌이지 않으면 됩니다. 패션 코디로는 셔츠, 자켓, 셔츠 원피스, 뷔스티에 원피스에 깔끔한 비즈니스 룩이 잘 어울립니다. 쿨이다 보니 깔끔하고 세련됨이 잘 어울립니다. 악세서리는 실버 컬러에 진주를 추천합니다.

브랜드 : 자라, 폴로아이템셔츠, 소라색 잘 어울림, 맑고 청순한 느낌

-**가을** 계절은 결실을 맺는 온화하고 고급스러운 분위기입니다. 곰돌이나 호랑이 같은 크고 듬직하고 섹시한 이미지입니다. 음료로 비유하면 에스프레소, 라떼 같은 커피 같은 류입니다. 대표적인 여자 연예인으로는 이효리, 한서희 님과 남자 연예인은

공유와 원빈 님입니다. 부드러운 색감과 소재의 니트와 채도 높은 게 잘 어울립니다. 눈동자는 브라운 계열이 많습니다. 기본 베이직(데일리 템이나 정장으로 어울리는 컬러)는 크림, 브라운, 다크 브라운 컬러가 잘 어울립니다. 헤어스타일은 히피펌부터 아주 고급스러운 펌까지 볼륨 있는 머리가 잘 어울립니다. 헤어컬러는 짙은 다크 브라운부터 레드 와인, 버건디 컬러도 잘 어울립니다. 패션 코디로는 캐시미어, 니트, 트렌치코트 등 루즈하고 긴 스타일의 올드머니룩이 잘 어울립니다. 웜이다 보니 럭셔리 온화함이 잘 어울립니다. 악세서리는 브론즈 골드와 가죽을 추천합니다. 아이템은 옐로우 컬러, 골드 잘 어울림, 고급스러운 느낌

　　브랜드 : 안다르 요가복이 너무 잘 어울림, 버버리, 구찌, 고급짐.

　-겨울 계절은 사계절을 마무리 하는 깔끔하고 세련된 분위기입니다. 푸바오, 반달가슴곰 같은 크고 깔끔한 이미지입니다. 음료로 비유하자면 칵테일, 보드카 같은 깔끔한 술의 이미지입니다. 대표적인 여자 연예인으로는 임지연, 고현정, 김혜수 님과 남자 연예인으로는 김수현, 차승원 님입니다. 백설공주, 시크 깔끔, 세련대비감 엄청 잘 어울립니다.

　　브랜드 : 자라, 폴로, 프라다, 블랙 셋업, 검은색 뿔테 안경, 섹시, 보라색, 두꺼운 실버 잘 어울림

*스타트업 명대사 코스모스, 각자의 꽃이 피다.

넌 코스모스야. 아직 봄이잖아. 천천히 기다리면, 가을에 가장 예쁘게 필 거야. 그니까 너무 초조해하지 마.

– 드라마 '스타트업' 명대사 ⑴ 풀이 꺾인 주인공 달미에게 친할 머니가 해주신 따뜻한 말씀.

저는 이 드라마를 보면서 제 인생이 치이고 힘들게 살아가는 주인공 '달미' 같다는 생각을 했었습니다. 그리고 달미 친언니인 이혼한 엄마와 함께 사는 집안이 여유롭고 편안한 삶을 사는 사람을 부러워했습니다. 지금도 안 부럽다고 하면 거짓말입니다. 그렇지만 갖춰지지 않은 상황이 저를 더 단단하게 만들어준 것 같아요. 봄에 꽃이 피는 사람은 시기적으로 가장 먼저 피고, 밝은 느낌을 줄 수 있습니다. 그리고 벚꽃처럼 화사하고 많이 남들과 같게 평범 피는 꽃들도 있죠. 먼저 성공하는 꽃도, 평범하게 행복해보이는 꽃도 다 각자의 시기가 있는 것 같습니다. 그 꽃들도 그 자체로도 참 아름답습니다. 그리고 그들이 아름다운만큼 저라는 사람도, 저의 계절의 꽃도 아름다운 것 같습니다. 가을의 코스모스처럼 겨울의 할미꽃처럼 봄 여름의 계절들을 지나고 자신의 계절에 맞게 피는 것이 참 아름다운 것 같습니다. 또한 먼저 핀다고, 다같이 핀다고 힘들지 않은 것은 아닙니다. 각자의 어려움이 있죠. 꽃이 피기 위해 그 많은 영양분을 모아두고 많은 시간을 투자해야 하는 것처럼 각자의 힘듦이 있습니다. 저는 그런 힘듦 제가 참 애틋했습니다. 이렇게 쉬지 않고 열심히 살다니, 열심히 살지 않으면 죄책감을 느껴야 한다니. 나는 언제 온전히 쉴 수 있을까? 쉬고 싶지만 쉬지 못하는 건데, 사람들이 "너는 왜 이렇게 바쁘게 사니?"라는 말을 들을 때마다 저는 제가 참 애틋했습니다. 제 시기는 오지 않는 것 같고, 다양한 직업을 가져봤지만 저에게 100% 찰떡인 직업이 없었습니다. 다른 친구들은 성실하고 꾸준하게 한 회사를 오래도 다니는데, 나는 왜 그게 안 될까? 직장에서의 저는 일은 열심히 하지만 꾸준히 한 업무만을 몇 년은 절대 못 하는 사람. 요즘에야 이직이 능력이고 다른 회사를 가는 것이 미덕이 되었지만요. 예전에는 한 직장을 오래 다니지 못하면 마치 문제 있는 사람이 된 기분이었습니다. 저는 그런 미운오리같은 사람이었습니다. 왜 페이도 좋고 괜찮다는 회사를 열심히 다니지 못할까? 회사가 괜찮다 보니까 그 회사를 적응하지 못하면, 내가 이상한 사람이 된 기분이었습니다. 그러나 저에게 맞는 업무가 있었고 그곳에서는 저는 인정받는 사람이 되었습니다. 돌고 돌아 찾게 되었습니다. 여러분도, 각자의 아름다운 계절에 여러분만의 꽃을 피우길 응원합니다. 세상을 살다보면, 주변의 소식들과 비교되는 일들이 생기죠. 남들과 비교하면 작아지는 나를 발견하게 되고 속상하고 짜증날 때도 있습니다. 그런데 각자의 꽃이 피는, 가장 아름다운 시기가 있다는 사실. 꽃마다 개화하는 시기가 다르듯 사람도 각자 두각을 나타내게 되는 시기, 빛을 발하는 시기가 다 다릅니다. 지금 당장은 늦어보여도 괜찮습니다. 그리고 늦어도 괜찮습니다. 도대체 누가 늦었다고 정할 수 있나요? 나이가 늦었다고 정하나요? 주변 사람이 정하나요? 그들은 내 삶을 살아 줄 수 없습니다. 그들은 정답이 아닙니다. "인생에 정답은 없으니까." 여러분 하고 싶은대로 하시길 바랍니다.

우리에게 각자의 꽃이 피는 시기가 있으니까요. 지금은 여름처럼 너무 뜨거워서 타버릴 것 같고, 혹은 겨울처럼 너무 차가워서 얼 것 같더라도 각자의 계절에 아름답게 빛날거예요. 각자 본연의 아름다움을 찾기를. 우리 모두는 각자 찬란하게 빛나는 꽃이니까요. 각자의 이야기를 찾아가길.

#꽃 어여뻐라

꽃, 너는 이 아름다움을 품고 얼마나 많은 시간을 견뎌냈을까. 땅에 '씨'로 심길때부터 땅과 싸워 이기며, '새싹'이 되기까지 도와줄 수도 도와줘서는 안되는 너만의 고통의 시간들. 이제는 그 빛나는 빛깔을 뽐내며 살아가렴. 꽃같은 인생을 사는 그대에게

@naturalbona 2021년12월03일10시경

나에게 술은 외계인이었다

해원(解元)

프롤로그

어느 날 술에서 깨어 바라본 나는 살아있으되 산 사람이 아니었다. 술로 인해 상처받은 사람들, 술로 인해 삶이 한순간에 폐허가 된 사람들, 술로 인해 목숨을 잃은 사람들을 수도 없이 지켜봐오면서 나만은 예외일 거로 생각했다. 하지만 술을 마실수록 내영혼은 점점 지옥에 가까워지고 있었다. 문득 술로 인해 나보다먼저 간 사람들의 원혼이 보이는 듯했다. 나에게 어서 오라 손짓한다. 머지않았다고 말한다. 정신이 번쩍 들었다. 그리고 생각했다. 더는 술로 인해 괴로워하는 사람이 있어선 안 된다. 운 좋게살아남은 나는 글을 쓴다. 술로 인해 고통받는 모든 사람이 나의글을 통해 그 괴로움에서 벗어나길 간절히 바란다.

1

너무 빨리 알아버린 술맛

언젠가 유튜브를 보다가 <나또동>이라는 프로그램에 외계인에 관한 이야기가 나왔다. "과연 외계인은 존재하는가"에 대해 옥신각신 말을 주고받던 중, 출연자 중 김영하 작가가 이런 말을 했다. "우리가 모를 뿐 이미 외계 생명이 우리 곁에 와 있을 수 있다. 예를 들면 음악이 외계의 존재일 수 있다. 인간에게 바이러스처럼 스며들어 발현하면 퍼져가는, 음악이 우리가 만드는 창조물이 아니라 인간에게 깃들어 사는 외계 생명일 수 있다." 생각의 차원을 높여주는 이런 발상, 정말 멋지지 않은가?

그나저나, 음악이 외계 생명이라면 그 외계인은 참 착한 마음을 가졌음이 분명하다. 우리가 대개 상상하는 외계인은 무시무시한 형상을 하고 지구를 침공하는 악당의 무리로 묘사되기가 일쑤다. 번뜩 이런 생각이 들었다. '우리도 모르는 사이 우리를 파멸로 이끄는 외계 생명은 무엇일까?' 여러 가지를 떠올려보았다. 생각, 감정, 느낌, 죽음, 날씨, 개, 고양이 아니면 혹시 음식. 그러다 문득 떠오른 한 가지, 그건 바로 "술"이었다.

나는 이따금 '내 삶에서 술이 없었다면 어떤 사람이 되어 있을까?'하고 생각해 본다. 만약 모든 조건이 같다고 전제하고 거기서 술만 뺀다면 분명 지금보다는 훨씬 나은 삶을 살고 있었을 것이다. 돌이켜보면 술이 삶에서 나에게 가져다준 건 가혹함 뿐이었다. 이제 중년을 넘어가는 시점에 "술"이라는 외계인과 나와의 굴곡진 관계를 아주 깊이 탐구해 볼까 한다.

#

나에게 "술"이라는 외계인이 찾아왔을 때는 기억하지도 못하는 어릴 적까지 거슬러 올라간다. 세 살인지 네 살인지 정확히는 모르지만, 나중에 어머니의 이야기를 통해 알게 된 사실은 제대로 걷지도 못할 때의 일이라는 것이다.

나에게 처음 다가온 술은 소주였다. 지금의 50대쯤이면 누구나 알겠지만, 어린 시절 어른들은 퍼런빛이 도는 큰 병에 든 소주를 집에서 마셨다. 1.8ℓ짜리 병에 25도의 독한 알코올이 들어있었다. 우리는 그걸 크다고 해서 "댓병"이라 불렀다. 하루는 어린 나를 혼자 집에 두고 어머니가 시장을 보러 가셨다. 알다시피 어릴 적 시장은 5일 장이 전부여서 보통 집에서 30분을 걸어 장을 보고 집에 돌아오면 한나절이 그냥 지나간다. 그렇게 시장에서 돌아온 어머니는 평소 같으면 젖 달라고 칭얼댈 아이의 인기척이 없자 이상한 생각이 들었다. 뭔가 불길한 예감에 얼른 방으로 뛰어 들어가 보았다. 다행히도 아이는 방안에서 고이 잠들어 있었다. 그러나 문제는 고이 잠들어도 너무 고이 잠들어 있었다는 거다. 급하게 아이를 뒤척여 살펴보니 얼굴은 홍당무처럼 벌겋게

달아올라 있었고 온몸에는 열이 펄펄 나고 있었다. 그리고는 이내 아이에게 무슨 일이 있었는지 알게 되었다. 시장을 가기 전에 남겨두었던 술병의 소주가 모두 사라지고 빈 병만 처량하게 나뒹굴고 있었다.

요즘은 술의 도수가 약해 16도, 18도 정도밖에 안 되지만, 그래도 소주는 독하다. 그런데 그 어린아이가 25도짜리 독한 술을 안주도 없이 빨아먹는다는 게 말이나 되는 얘긴가? 나중에 어머니가 말씀하신 거지만 그때 내가 죽지 않은 것만 해도 참 다행이란다.

지금 와서 생각해 보니 술은 외계인임이 분명하다. 어린 나이의 나의 뇌에 침투해 술을 계속 마실 수밖에 없도록 무슨 짓을 한 게 아니라면 술로 인해 전개되는 나의 삶은 설명이 잘 되질 않는다. 술이 주는 그 몽환적인 느낌과 도파민이 주는 쾌감, 거부할 수 없는 그 무엇을 나의 무의식 깊은 곳에 심어놓은 것이 분명하다. 그렇게 술과 나의 역사는 일찌감치 시작되었다. "외계인, 이 나쁜 놈의 시키들!!!"

셰익스피어는 그의 작품 <오델로, Othello>에서 술에 대해 이렇게 썼다. "이놈, 눈에 보이지 않는 술의 정령이여! 너에게 아직 이름이 없다면 앞으로 너를 '악마'라고 부를 테다. O thou invisible spirit of wine, if thou hast no name to be known by, let us call thee devil!" 술은 과연 악일까, 선일까? 내 삶 속에는 술 예찬론자들이 무수히 많다. 많은 책과 글 속에서도 술에 대한 부정과 긍정은 극명하게 나뉜다. 하지만 말도 제대로 못 하는 어린 아이에게 술이란 물어보나 마나 악이다. 악이 아니라 독약이다. 그건 결코 신체적인 문제에서 끝나지 않는다. 정신적인 영향은 이루 측정할 수도 없을 정도일 것이다. 지금 같으면 상상도 할 수 없는 일이 벌어진 것이다. 그것도 바로 나의 인생에서.

우리가 살아가면서 겪게 되는 모든 일들, 즉 현상은 모두 인과에 의해 결정된다. 모든 결과는 그 결과를 얻을 원인행위가 있다는 것이다. 쉽게 말해 "콩 심은 데 콩 나고, 팥 심은 데 팥 난다"라는 얘기다. 그동안 나는 술을 너무나도 사랑하던 사람이었다. 술이 없으면 사는 재미가 하나도 없다고 믿을 정도였다. 그리고 이런 생각과 과음하는 습관이 모두 내가 만든 원인으로 인해 생겨났다고 믿었다.

하지만 요즘 들어 그 생각이 점점 바뀌어 간다. 술이 우리에게 주는 건 망각에 지나지 않는다. 그리고 그동안의 음주 생활이 어쩌면 나의 탓이 아닐 수도 있다는 생각이 들었다. 서두에서 말한 것처럼 외계인의 소행일 수도 있는 일 아닌가. 혹 외계인이 아닐지라도 우리가 살아가는 삶에는 우리도 모르는 어떤 힘이 작용할 수 있다는 건 부정할 수 없는 일이다.

나는 이 글을 통해 그 힘을 알아보려 한다. 내 삶을 온통 술로 채워 괴로움을 안겨준 그 힘이 무엇일까? 그것을 알아내는 날 내 삶은 바뀔 것이다. 무의식에 쌓인 억겁의 카르마가 해소될 것이다. 그리고 그 힘의 정체가 점점 가까워져 옴을 느낀다.

2

학창 시절의 술

깡촌에서 살던 나 같은 촌놈들에게 막걸리 심부름에 대한 추억 하나씩은 누구나 가지고 있다. 그리고 그 추억의 내용은 대개 두 가지로 귀결된다. 주전자에 막걸리를 받아오다 넘어져 모조리 쏟아버린 이야기거나, 주전자의 주둥이로 몰래 막걸리를 빨아서 마신 일이다. 하지만 그 정도는 나의 에피소드에 비하면 애교에 불과하다.

초등학교 저학년 때의 일이다. 당시에 나의 부모님은 시골에서 비닐하우스 농사를 지으셨다. 나는 시간이 날 때마다 오이를 수확하거나, 농약을 치는 일을 도왔다. 언젠가 오이를 수확하는 날 나에게 막걸리 심부름이 주어졌다. 비닐하우스에서 일하다 보면 많은 땀을 흘리게 된다. 땀 흘린 후 마시는 시원한 막걸리 한 잔은 부모님의 고된 노동을 달래주는 청량제와 같은 것이었다. 당시에 막걸리를 받아 올 때 쓰던 노란 주전자는 크게 한 되짜리와 두 되짜리가 있었다. 한 되는 1.8ℓ다. 소주에 이어 또 1.8ℓ, 흠, 뭔가 낌새가 이상하지 않은가?

나는 기분 좋게 구판장에 들러 막걸리 한 되를 받아왔다. 그리고 그 막걸리를 비닐하우스 입구에 있는 평상에 올려놓고 부모님이 오시기를 기다리고 있었다. 그런데 그날따라 수확량이 많아서인지 시간이 오래 걸리는 듯했다. 나는 부모님이 오시면 시원하게 바로 드실 수 있도록 빨간 바가지에 막걸리를 미리 따라 두었다. 그리고 언제나 그렇듯 안주는 상품 가치가 없는 못생긴 고부랑이 오이였다. 고추장에 찍어 먹는 싱싱한 오이의 맛은 정말이지 일품이다.

나는 정말 맛만 보려고 바가지에 있는 막걸리를 한 모금 들이켰다. 그리고 오이의 가시를 손으로 쓱쓱 비벼 제거하고는 이내 고추장에 찍어 덥석 한입 베어 물었다. '세상에 이럴 수가! 내 평생 이렇게 꿀맛 나는 음식의 조합이 또 있었단 말인가?' 아마 서너 살 때 먹었던 그 술의 맛을 나의 뇌는 기억하고 있는 듯했다. 나는 도저히 멈출 수가 없었다. 그렇게 막걸리와 오이를 번갈아 정신없이 먹었다. 그리고 부모님이 오시기도 전에 바가지에 한가득 따라 두었던 막걸리는 종적을 감추고 사라졌다. 지금으로 치면 병 막걸리 1병 정도는 족히 됐을 것이다.

생각해 보라, 열 살이나 남짓한 어린놈이 그 짧은 순간에 막걸리 한 통을 마셨으니 어떻게 되었겠는가. 부모님이 일을 마치고 나오셨을 때 나는 이미 제정신이 아니었다. 별의별 욕을 먹어가며 죽도록 혼났다. 그런데 참 이상했다. 죽도록 혼이 나면서도 기분이 너무 좋았다. 계속해서 해죽해죽 웃음이 끊이질 않았다. 지금도 부모님과 함께 비틀거리며, 해죽거리며 집으로 돌아가던 기억이 난다. 당시 비포장도로였던 동네 앞 행길을 걸으면서 왜 하늘이 그렇게 빙빙 도는지 나는 도무지 이해할 수 없었다. 술이라는 놈은 외계인임이 분명했다.

#

　몇 번의 술의 공격에도 뇌가 그렇게 심하게 망가지지는 않았는지 중학교 때까지는 공부를 잘하는 편이었다. 당연히 지방에 있는 명문고에 진학할 걸 의심하지 않았고 성공한 사회인으로 살아갈 꿈을 꾸었다. 그런데 나에게 시련은 참 빨리도 찾아왔다. 당시에 명문고에 진학하기 위해서는 학력고사를 치러서 좋은 성적을 얻어야 했다. 그동안 치렀던 모의고사나 성적으로 볼 때 전혀 문제가 없었다. 하지만 결과는 참담한 실패였다.

　어쩔 수 없이 진학한 다른 학교에 나는 만족하지 못했다. 결국 6개월도 채우지 못하고 자퇴를 하면서 나의 사춘기와 방황은 혹독하게 시작되었다. 당시 비행 청소년이 할 수 있는 일은 모름지기 안 해본 일이 없을 정도다. 청소년 비행에 술과 담배는 빠질 수가 없는 아이템이다. 그렇게 날지도 못하는 비행으로 1년이란 세월을 보내고 나니 더이상 내가 진학할 수 있는 변변한 학교는 없었다. 그나마 유일하게 나를 받아준 곳은 시골에 있는 작은 학교였다. 지금은 사라지고 없는 그 학교는 다행히도 나의 모든 방황을 허락해 주었다. 그 학교마저 없었다면 나의 인생이 어떻게 되었을지 참 알 수 없는 노릇이다.

　고등학생이 되면서 키와 덩치가 부쩍 커진 나는 이제 두려움이 없었다. 그때부터 술은 나의 일상이 되었다. 그때는 왜 그랬는지 모르지만, 술을 온통 오기와 객기로 마셨다. 친구들과 경쟁하듯 마시면서 술을 잘 마셔야 승자가 되는 소영웅주의에 빠졌다.

세상이 모두 삐뚤어져 보였다. 세상에 대한 원망과 패배감은 나를 더욱 좌절하게 했고 나는 더욱더 깊은 수렁으로 빠져들었다.

그러던 어느 날 나의 삶에 경종을 울리는 사건 하나가 발생했다. 여느 때처럼 친구들 네 명이 모여 막걸리를 마셨다. 마시고 또 마시다 보니 어느새 밤이 깊었다. 이제 집으로 돌아가야 할 시간이다. 친구들의 집은 술을 마시고 걸어가기에 너무도 멀었다. 그렇다고 그 야심한 밤에 버스가 있을 리 만무했다. 나는 몰래 아버지의 오토바이를 끌고 나와 오토바이 뒷자리에 친구 세 명을 태웠다. 그때는 음주운전이라는 개념조차도 없던 시절이다. 나는 친구 한 명을 무사히 집까지 데려다주었다. 나머지 두 명을 태우고 다음 목적지로 향했다. 밤길은 칠흑같이 어두웠고 술로 인해 나는 속도감을 느끼지 못했다.

어느 모퉁이를 돌아 나올 즈음, 이미 가속이 붙은 오토바이는 나의 뜻대로 움직이지 않았다. 뒤에 탄 친구들의 무게 때문인지 평소 운전할 때보다 핸들이 무거웠다. 아무리 커브를 돌아 나오려고 몸을 뉘어도 한 번 궤도를 벗어난 오토바이는 더 이상 걷잡을 수 없었다. 그리고 이내 길 밖으로 내동댕이쳐졌다. "퍽"하는 소리와 함께 나는 정신을 잃고 말았다.

얼마나 지났을까? 한 친구가 나의 볼을 두드린다. 나는 정신을 차려 친구들의 상태를 살펴보았다. 나를 깨운 친구는 문제가 없어 보였다. 하지만 나머지 한 친구는 아직도 정신을 차리지 못하고 누워있었다. 두려움이 밀려왔다. 그리고 조심히 그 친구에게 다가가는 순간, 몸을 벌떡 일으킨 친구가 소리친다. "어, 내 신발 어디 갔지?" 휴! 천만다행이다.

모두 무사했다. 아니 그런 줄 알았다. 그런데 갑자기 내 몸에 뭔가 따뜻한 액체가 흘렀다. 바닥에 부딪히면서 턱이 찢어져 피가 흘렀다. 피는 금세 나의 윗도리를 적신다. 시골에는 급하게 갈 병원도 없다. 급하게 개인택시가 있는 곳으로 뛰어가 도움을 요청했다. 다행히 피는 금방 멎었다. 지금도 나의 턱에는 그때의 상처가 흉터로 선명하게 남아 있다. 그날로 아버지는 그렇게 애지중지하시던 오토바이를 폐차하셨다. "오토바이가 멀쩡한 아들 잡겠다." 한마디 하시고는 더는 말씀이 없으셨다. 그리고 다시는 오토바이를 사지 않으셨다. 애꿎게 오토바이만 탓하신 아버지, 문제는 술이라는 걸 모르셨을 리가 없다.

나는 술로 인해 생긴 두 번째 죽음의 위기를 넘겼다. 영국의 물리학자이자 목사인 토마스 풀러는 말한다. "술은 바다보다 더 많은 사람을 익사시킨다. Wine hath drowned more men than the sea." 나는 왜 술이라는 유혹을 못 이겨 나의 소중한 생명을 함부로 하는 걸까? 무엇이 나를 이렇게 좌절하게 하는 걸까? 도대체 술은 나에게 무엇을 주려 하는가?

시골에서 태어나 자라면서 우리는 술이라는 괴물에 너무나도 쉽게 노출되었다. 어른들은 고된 노동을 모두 술로 달랬다. 가난했던 시절에도 어떻게든 술은 우리 곁에 남아 있었다. 술로 인해 부모는 다투고, 술로 인해 형제를 죽이고, 술로 인해 친구를 잃으면서도 술은 우리를 떠나지 않았다. 술이라는 놈 그 내면이 무엇이길래 이렇게도 질기게 우리를 놓아주지 않는 것인가. 죽음도 두려워하지 않게 만드는 술이라는 놈, 이놈은 외계인이 확실하다.

3

술이 만든 나의 인생

기생충은 숙주를 죽이지 않는다. 숙주가 죽으면 기생충도 죽기 때문이다. 술이라는 외계인이 나의 삶을 농락했지만 나를 죽이진 않았다. 아직도 쓸모가 있었던 모양이다. 그렇게 완전히 밑바닥까지 떨어진 나의 삶이 지금까지 유지될 수 있었던 이유를 나는 "글"이라고 생각한다. 술을 마시면서도 내가 끝까지 놓지 않았던 게 바로 "글"이다.

첫 번째 고등학교에 잠깐 다니는 동안 만난 친구가 있었다. 그 친구는 나를 시의 세계로 인도했다. 소년이었지만 소녀 감성이 더 많았던 그는 눈에 잘 띄지 않는 조용한 친구였다. 그도 지역은 달랐지만, 나처럼 시골 촌놈이었고, 또 같은 명문고를 지원해 낙방한 아픔을 나눴기에 서로 잘 통했다. 소녀처럼 언제나 시집을 손에 들고 다니던 그는 가끔씩 나에게 시를 낭송해주곤 했다. 그는 시를 너무나 사랑하는 친구였다. 시를 낭송할 때면 온 감정을 다 해 항상 눈물이 그렁그렁해질 정도였으니 말이다. 섬이 고향인 그는 바다를 주제로 한 시를 많이 썼다. 지금 그 시의 내용은 내 기억 속에서 깡그리 사라졌지만, 그 감성과 감동은 아직도 가슴에 남아 나를 울린다. 그때 처음으로 나는 시처럼 살고 싶다고 생각했다. 그렇게 나는 시인이 되고 싶었다.

그리고 방황 끝에 다다른 학교, 그곳에 희망은 없었다. 하지만 나를 끝까지 포기하지 않고 지켜준 선생님이 계셨다. 잦은 일탈과 방황에 허우적대던 나에게 시를 낭송해 보라고 시키셨던 나의 국어 선생님. 나는 나의 친구가 나에게 낭송해주었던 것처럼 온 마음으로 시를 노래했다. "그러나 지금은, 들을 빼앗겨 봄조차 빼앗기겠네" 낭송이 끝나고 나도 선생님도 복받쳐 울었다. 들도 봄도 모두 빼앗긴 내 청춘의 황량한 들판을 그렇게 선생님은 지켜주셨다. 내 깊은 의식 속에 갇혀있던 글을 꺼내 주신 것이다.

그렇게 숱한 방황에도 나는 운 좋게 지방대에 진학했다. 하지만 성인이 되면서 술과의 인연은 더더욱 깊어졌다. 집을 떠나 자유로운 환경, 새롭게 만나는 무수한 인연을 술이 아닌 맨정신으로는 감당하기 어려웠다. 그렇게 1년을 보내자 인생에 위기감이 몰려왔다. 이렇게 살다가는 큰일 날 거 같다는 생각이 들었다. 그래서 선택한 게 군대다. 일단 군대로 도피해 몸과 마음을 재정비하고 싶었다. 지금까지의 썩어빠진 몸과 정신을 개조하기 위해 일반 군대는 성에 차지 않았다. 죽도록 고생하고 싶었다. 술이라는 외계 생명으로부터 간절히 벗어나고 싶었다. 그렇게 나는 해병대원이 되었다.

#

소대장 훈련병으로 해병대 훈련소를 수료한 나는 이제 예전의 내가 아니었다. 한겨울의 혹독한 훈련은 나를 완전히 다른 사람으로 만들었다. 그곳은 술이라는 외계인은 얼씬도 할 수 없는 무시무시한 곳이다. 내가 원하던 혹독한 훈련이 바로 이거였다. 영혼까지 씻어내 그동안의 삶을 바꾸고 싶었다. 내 인생에서 가장 자신감이 넘치던 때가 바로 이때였다.

그러나, 내가 배치받은 부대는 서울 동작구 대방동, 그 이름도 유명한 해병 의장대, 날아가는 새도 떨어뜨린다는 살벌한 군기가 나의 그 자신감을 단 몇 초 만에 무참히 박살 냈다. 의장훈련과 군기는 숨조차 쉬기 어려울 정도였다. 숨 막히는 의장 훈련을 모두 수료하고 드디어 첫 외박을 나가게 되었다. 우리 같은 시골 촌놈들은 외박을 나가도 집이 멀어 갈 수가 없다. 서울에 남아 동료들과 보내거나, 서울에 아는 사람이 있으면 만나서 하루를 보내야 한다. 뭔가 불안하지 않은가?

결국 첫 외박을 얻었지만 갈 곳이 없었다. 어쩔 수 없이 선임들과 함께 시작된 술자리, 그동안 만들어진 몸과 정신력은 모든 술을 이겨냈다. 마셔도 마셔도 술에 취하지 않는다. 귀신도 잡는 해병이 그깟 외계인, 술 하나를 못 이기겠는가? 그러나 천만의 말씀, 술은 귀신보다 강했고 해병보다도 강했다. 나는 첫 외박에서 대형 사고를 치고 말았다. 술집에서 특전사 대원들과 시비가 붙었고 술집은 아수라장이 되었다. 결국 군 경찰까지 출동했다. 다른 군인들은 모두 현장에서 사라졌다. 나는 왜 사라지지 못 했을까? 기억이 없다.

정신을 차리고 보니 수도방위사령부의 철창 안이었다. 새벽 3시, 결국 의장대장이 지프차를 몰고 나타나 나를 호송해 가면서 에피소드는 일단락됐다. 만약 내가 청와대 행사에 참여하는 필수 의장대원이 아니었으면 철창신세 면하기 어려웠을 거다. 새파란 졸병이었던 나는 첫 외박에서 그렇게 의장대장의 지프차를 타고 개선했다. 개선장군에게 주어진 자랑스러운 훈장은 아직도 내 정강이에 선명하다.

그렇게 나는 군대에 가서도 술과의 악연을 끊지 못했다. 이 외에도 군대에서 일어난 술에 관한 에피소드는 책 한 권으로도 모자란다. 그래도 난 참 운이 좋은 편이다. 무사히 30개월의 군 생활을 마치고 명예롭게 전역을 했으니 말이다. 그리고 다시 복학한 학교에서 나는 또 내 인생의 중요한 인연을 만난다.

#

복학을 하고도 술은 내 삶에 많은 부분을 차지했다. 우리 과 학생들이 나에게 붙여준 별명이 하나 있다. "폐인 제조기" 흠! 나랑 술을 마시는 사람들은 뒷날 학교를 나오지 못했다. 혹시 나온 다고 하더라도 얼굴을 갈아서 나오거나 어떤 상처 또는 에피소드 하나씩을 꼭 가지고 나왔다. 그런 나를 우리 과 여학생들은 죽도 록 싫어했다. 당시에 복학생을 아저씨라고 부르던 여학생들이 나 를 "이상한 아저씨"라고 했으니 말이다.

하루는 전 학년이 같이 떠나는 연합 MT라는 걸 갔다. 당연히 술이 빠질 리 없다. 2박 3일인지 3박 4일인지 기억도 안 난다. 아 무튼 MT는 마시고 노는 게 일 아닌가. 나는 마시고 또 마셨다. 그리고 어느 날 아침, 슬그머니 눈을 떠보니 내 오른쪽 팔에 상당 한 무게감이 느껴졌다. '뭐지'하는 생각에 고개를 돌려보니 어떤 여학생이 나의 팔을 베고 잠들어 있는 게 아닌가. 심지어 그 여학 생은 나를 무지무지 싫어하던 여학생이었다. 나는 차마 팔을 빼 지 못하고 계속 잠들어 있는 척했다. 그사이 큰 방에서 함께 자던 다른 학생들이 일어나고 우리는 이상한 사람들이 되었다. "야, 쟤네 뭐냐?"

그 여학생, 나를 "폐인 제조기"라 이름 짓고 나를 무지무지 싫어했던 그 여학생은 바로 지금 나의 아내다. "외계인, 이 나쁜 놈의 시키" 지금은 세 아이까지 낳아 살고 있다. 이 녀석들도 다 술이 만든 거나 다름없다. 혹시 들어본 적 있는가? 외계인도 천 년에 한 번은 실수한다는 사실을. 믿거나 말거나다. 하지만 그 실 수로 나는 다행히 사랑하는 가족을 얻었다.

이렇게 나의 삶을 설명하자면 술을 빼놓을 수가 없다. 나는 몇 번의 죽을 고비와 우여곡절을 겪으면서도 술에 대한 애정을 끊지 않았다. 아니 오히려 술이 나를 더욱 인간답게 만든다고 믿었다. 술로 인해 더 좋은 사람을 만나고, 술로 인해 더 다양한 관계를 형성한다고 생각했다. 나에게 술은 왜 그렇게 좋은 이미지로 각인되어 있었을까?

그렇게 좋은 이미지로 각인 되어 있던 술이 점점 나에게 나쁜 문제로 다가오고 있었다. 미국의 소설가 레이먼드 챈들러Raymond Chandler는 말한다. "때에 따라 술을 아무리 많이 마시는 사람이라도 그가 정신을 차리고 있을 때는 같은 사람이다. 하지만 중독자, 심각하게 중독된 사람은 전혀 그 사람이 아니다. 우리는 그를 전혀 예측할 수 없다. 단 하나 확실한 건 그는 이전에 당신이 한 번도 보지 못한 사람이 될 거라는 것이다. A man who drinks too much on occasion is still the same man as he was sober. An alcoholic, a real alcoholic, is not the same man at all. You can't predict anything about him for sure except that he will be someone you never met before."

나의 인격이 변해가고 있었다. 나는 아무리 술을 마셔도 긍정적이고 재미있는 사람이었다. 그러나 계속되는 술은 나를 점점 파멸로 이끌고 있음이 분명했다. 이제 점점 외계인의 정체와 속내가 드러나고 있었다.

4

술과 끌어당김의 법칙

대학 시절에도 술과 일탈로 일관하던 나에게 이번에도 구원자가 나타났다. 언제나 나를 끝까지 포기하지 않고 술로부터 지켜주던 것은 이번에도 역시 "글"이었다. 고등학교 시절 나를 구원해 준 글이 국어였다면 대학 시절의 나를 구해준 글은 "영어"였다.

나는 국어도 사랑했지만, 영어도 사랑했다. 경영학도로서 학과 공부에는 관심이 거의 없었다. 하지만 영어는 늘 재밌었다. 문법이나 시험공부보다는 회화를 좋아했다. 그러다 보니 회화학원 외국인 강사와 친구가 되고, 또 한국에 파견된 미군들과 친구가 되어 자주 어울려 놀았다. 그러던 중 졸업반이 되었고 학과 성적 위주로 돌아가던 취업시장의 판도가 토익 위주로 바뀌었다. 나에게는 구원과도 같은 것이었다. 그렇게 시작한 토익 공부는 나에게 대기업에 취업할 기회를 주었다. 지방대에서 몇 안 되는 대기업 합격자 중 한 명이 된 것이다. 외계인에게 아직도 나의 쓸모가 남아 있었나 보다.

나에게 술은 외계인이었다

#

"술은 술을 부른다." 이것이 술이라는 외계인이 세력을 확장하는 아주 유용한 전략이다. 술에도 끌어당김의 법칙은 존재하는 셈이다. 대기업에 취업한 나는 이제 더 자랑스럽게 술을 마셨다. 이제 나는 술을 마셔도 남보다 더 잘 되는 사람이었다. 사람들은 나의 이야기를 신화처럼 떠들어 댔다. 술안주로 이야기만큼 좋은 게 또 뭐가 있겠는가. 나의 이야기보따리는 차고 넘쳤고 그만큼 술을 마시는 사람과 횟수는 늘어만 갔다. 일 년에 술을 마시지 않은 날이 손가락으로 꼽을 수 있을 정도니 무어라 더 할 말이 있겠는가.

그렇게 술을 쉬지 않고 마시면서 나의 인격은 두 가지로 나뉘기 시작했다. 처음에는 사람과의 만남이 목적이었던 술자리가 점점 술이 목적인 자리로 바뀌어 갔다. 퇴근 시간이 가까워지면 만남을 위해 술이 따라오는 게 아니라 술을 마시기 위해 사람이 필요했다. 술이 목적이 되고 사람이 수단이 된 것이다. 그야말로 주객이 전도된 것이다. 그건 비단 나뿐만이 아니었다. 술이 주인이 된 사람들은 술을 마시기 위한 수단으로 또 나를 찾았다. 그것은 직장이나 내가 속한 사회 속에서뿐만 아니라 지구상 어디를 가나 변함이 없었다. 그렇게 나는 정신이 있을 때 인격으로 살았지만, 술이 필요할 때 "주격"으로 사는 이중인격의 삶을 살게 된 것이다.

한 번은 술로 인한 육체적 정신적 피로를 풀어보려고 1박 2일간의 명상 수련회에 참가한 적이 있다. 그곳은 물 맑고 공기 좋은 산골이었다. 세파에 찌들어 괴로운 사람들에게 명상과 마음공부를 통해 정신적 휴식을 주는 곳이었다. 나는 참석 전날도 고주망태가 되었기에 오전 10시에 시작하는 프로그램에 겨우 맞춰 도착했다. 두 시간의 오전 강의와 프로그램을 마치고 점심시간이 가까워져 오자 이상한 기운이 감지되기 시작했다. 프로그램을 주재하는 강사님이 그날따라 이상한 제안을 하시는 게 아닌가. 강사님 왈 "오늘 날씨도 추운데 불을 피워 삼겹살에다 가볍게 술 한 잔씩 하는 건 어떤가요?"

말이 떨어지기가 무섭게 참석한 회원들은 마치 약속이나 한 것처럼 술자리를 마련했다. 나중에 안 사실이지만 거기에 참석하는 회원들에게는 종종 있었던 일이라는 거였다. 그렇게 시작된 술판은 끝날 줄을 몰랐다. 야외에서 시작된 술자리는 실내로 옮겨졌고 참석자들은 하나둘씩 취해가기 시작했다. 내가 누구인가. 말술이라도 먹고는 가도 지고는 가지 못하는 사람 아닌가. 마침 토요일인 데다 새로운 사람들과 어울리니 아주 신이 났다. 급기야 술에 취해 참석자 한 명과 시비가 붙었다. 결국 상대의 옷이 다 찢어지도록 싸우고 나서야 술자리는 끝이 났다. 내 익히 "눈치가 빠르면 절에 가서도 새우젓을 얻어먹는다."라는 말은 들어봤어도, 명상으로 힐링하려고 찾아간 곳에서 술에다 삼겹살까지 얻어먹고 대판 싸움질까지 했으니 이게 도대체 무슨 조화란 말인가.

뒷날 아침 술에서 깨어보니 어젯밤 시비했던 사람이 내게 역정을 내며 말한다. "이게 어떻게 장만한 오리털 잠반데, 당신 때문에 오리털이 한 올도 안 남았어! 이 인간아. 어떡할 거야?" 결국 돈 30만 원을 고스란히 이체해주고서야 나는 산에서 내려올 수 있었다. 이게 "끌어당김의 법칙"이 아니고 도대체 뭐란 말인가. 이래도 술이 외계인이 아니라고 누가 말할 수 있단 말인가?

내 인생에서 이런 일은 셀 수도 없이 많다. 이렇게 술과의 인연이 깊어지자 작고 큰 사고는 끊이지 않았다. 술을 마시면 제일 먼저 잃는 게 술값이다. 그다음은 정신이다. 정신을 잃으면 휴대전화를 잃고 지갑을 잃는다. 술을 마시면 마실수록 더 큰 걸 잃게 된다. 나중에는 친구도 잃고 가족도 잃는다. 그다음엔 영혼을 잃게 되고 마지막으로 목숨을 잃게 된다. 물론 술을 먹고 우리가 잃는 것에 정해진 순서는 없다. 우리는 술로 인해 갑자기 유명을 달리하는 경우도 종종 목격하지 않는가.

#

나에게는 술로 인해 비극을 겪은 아주 가까운 세 명의 친구가 있다. 모두 어릴 적부터 한동네에서 자란 친구들이다.

첫 번째 친구는 어려서부터 공부를 잘했다. 아버지가 일찍 돌아가시고 홀어머니 밑에 자라면서 열심히 공부했다. 결국 명문대학을 졸업하고 내로라하는 대기업에 취업했다. 그리고 대학 시절 만난 아내와 결혼해 딸 하나를 낳아 행복하게 살고 있었다. 비극은 역시 술에서 시작됐다. 친구들과 술을 마시다가 2차를 가던 그들에게 대형 교통사고가 났다. 다행히 목숨은 건졌지만, 몇 번의 뇌수술에도 그의 정신은 정상으로 돌아오지 않았다. 거동에는 불편이 없었지만, 정상적인 사고를 할 수 없는 상태가 된 것이다. 제정신이 아닌 남편을 지키던 그의 아내는 결국 몇 년 버티지 못하고 딸을 데리고 떠났다. 이제 그에게 남은 사람은 아무도 없다. 그는 지자체에서 가끔 제공하는 공공근로를 하며 거기서 생긴 돈으로 지금도 매일 술을 마신다. 20년이 넘도록 하루도 쉬지 않고.

두 번째 친구는 어린 시절에 공부를 잘하지 못했다. 중학교 때도 성적이 나아지지 않아 상업고등학교로 진학했다. 그러나 고교에 진학하면서 서서히 공부에 눈을 뜨게 되었다. 그때부터 대학을 가겠다는 꿈을 꾸었지만 결국 원하는 대학에 진학하지 못했다. 그러자 그는 늦은 나이에 해병대에 자원입대하여 복무했다. 친구지만 나의 해병대 후배가 되면서 우리는 더욱 돈독해졌다. 그리고 제대 후 그는 경찰관 시험에 응시했다. 그가 경찰이 된다고 했을 때 우리는 다 무리라고 생각했다. 하지만 그는 몇 년의 도전 끝에 결국 경찰이 되었다. 그것도 경찰특공대. 그는 너무나 자랑스러워했고 행복해했다. 그러나 행복도 잠시, 그에게 비극이 찾아온 것도 역시 술 때문이다. 고향 친구들과 술을 마시던 그는 2차를 가기 위해 다른 친구의 차를 탔고 역시 교통사고가 났다. 차를 같이 탔던 다른 친구들은 작은 경상만을 입었다. 하지만 그는 무슨 영문인지 그 자리에서 끝끝내 깨어나지 못했다. 하늘도

나에게 술은 외계인이었다

무심하시지, 왜 하나님은 착한 사람을 먼저 데려가시는지 모르겠다. 아직도 나는 그가 근무하던 경찰특공대를 방문했을 때가 생생하게 기억난다. 그 순수하던 눈빛과 부끄러운 듯 정겨운 미소가 눈물 나게 그립다. 오, 내 사랑하는 친구야!

　세 번째 역시 나와 한동네에 살며 많은 추억을 나눈 친구다. 성격이 밝고 유머가 넘쳐 어딜 가나 인기를 독차지하던 그는 술을 그렇게 잘하는 친구가 아니었다. 술을 마시면 금세 얼굴이 붉어지는 바람에 많은 술을 마시진 못했지만, 친구들과 어울리기 위해 어쩔 수 없이 술을 마셨다. 그리고 어찌 된 영문인지 나중엔 직업도 술과 관련된 일을 하면서 술은 점차 그의 일상이 되었다. 그리고 결국 젊은 나이에 알코올 중독자가 되었다. 그렇게 십수 년 동안을 알코올중독치료 전문병원을 들락거리며 재활을 꿈꾸었다. 그러던 중 잠깐 정신을 차린 그는 늦은 나이였지만, 특유의 밝은 성격 때문인지 사랑하는 여자를 만나 가정을 꾸렸다. 그리고 예쁜 딸을 낳아 기르면서 삶에 안정을 찾아가고 있었다. 그러나 한 번 중독된 술의 유혹은 그를 가만 내버려 두지 않았다. 결국 다시 술을 입에 대면서 건강은 급속도로 나빠졌고, 어느 날 새벽 사랑하는 어린 딸을 두고 그만 세상을 떠났다. 장례식장에서 멋모르고 앉아 아버지의 영정사진을 물끄러미 바라보던 그 어린 딸이 아직도 눈에 밟힌다. 그곳에선 부디 행복해라 친구여!

　19세기 미국의 여배우 멀시데스 맥캠브릿지Mercedes McCambridge는 알코올 중독 치료를 받으며 이렇게 말했다. "술은 인내력이 아주 강한 마약이다. 알코올 중독자가 다시 한번 집어갈 때까지 끝까지 기다린다. Alcohol is a very patient drug. It will wait for the alcoholic to pick it up ONE MORE TIME."

나는 그들의 불행을 글로 적으면서 한참을 망설였다. 하지만 글을 쓰기로 한 이유는 혹시 이 글을 읽고 삶을 새롭게 살아갈 누군가를 위해서다. 글을 쓰는 나 역시 불행을 겪은 그들과 다를 바 없다. 더하면 더 했지 결코 덜 하진 않았다. 그저 운이 좋아 나는 이렇게 살아서 글을 쓸 뿐이다.

이제는 서서히 이 지긋지긋한 술과의 인연을 정리할 시간이 다가온다. 너무나 많은 사람을 파멸로 이끄는 술이라는 외계 생명의 계략이 보이기 시작한다. 그 알 수 없는 힘의 실체가 이제 한 발짝 앞으로 다가왔다. 사생결단을 내야 한다. 그리고 중요한 사실 하나, 술의 "끌어당김"으로 만들어진 수많은 인연, 그 인연들은 내가 술을 마시지 않으면 그 끌어당김을 모두 놓는다. 술은 자석과 달리 결국 술끼리만 끌어당긴다.

5

술의 자리를 글로 채우다

"우리 해원이는 술만 안 마시면 어디에 내놔도 걱정할 게 없는데, 쯧쯧" 희소병으로 너무나 일찍 돌아가신 나의 어머니가 생전에 나에게 해주시던 말이다. "맨정신일 때 당신이랑 술에 취한 당신은 달라도 너무 달라. 이제 술 마시는 당신이랑은 더는 못 살겠어.". 이건 지난해 퇴직하고 한동안 술에 빠져 살던 나에게 아내가 던진 말이다.

세상에서 나를 가장 사랑하고 아끼는 두 여인이 간절히 바라는 것, 그건 바로 술을 마시지 않는 거다. 아내는 나에게 말한다. "사랑은 그 사람이 좋아하는 일을 하는 것보다 그 사람이 싫어하는 일을 하지 않는 것"이라고.

나를 진심으로 사랑하는 사람들은 날 더러 술을 끊으라 한다. 반면에 술 마시기를 권하거나 술을 마시지 않으면 재미가 없다는 등의 말로 나를 유혹하는 사람들은 그들의 재미가 우선인 사람들이다. 물론, 내가 술을 적당히 마시거나 절제를 잘하는 사람이라면 문제 될 게 없다. 하지만 나는 '적당히'가 지극히 안되는 사람이다. 우리 집안에 '적당히'가 안되는 사람은 내가 유일하다. 이점이 바로 내가 술이 외계인이라고 강력하게 의심하는 부분이다. 인식하지도 못하는 어린 나이에 나의 뇌에 침투해 나의 무의식을 교란한 그 외계인.

그리고 결정적으로 내가 술을 끊어야 하는 이유는 따로 있다. 그 이유는 바로 진짜인 나 자신을 만나기 위해서다. 나는 50년이 넘도록 제대로 된 나를 만나보지 못했다. 최소한 기억으로 허락되는 나라는 존재는 단 한 번도 나인 적이 없다. 누군가의 아들이었고, 누군가의 형제였고, 누군가의 남편이었고, 누군가의 아버지였고, 누군가의 친구였으며 누군가의 그 무엇이었다. 이제는 그 무엇도 가미되지 않은 순수한 나를 만나고 싶다. 그러기 위해서는 내 삶의 가장 큰 장애물, 내 삶에서 나의 무의식을 가장 심하게 교란하는 술이라는 외계인의 경계를 넘어서야 한다.

그래서 선택한 것이 바로 "술 대신 글"이다. 앞에서 말한 것처럼 나를 위기에서 구해줬던 건 언제나 글이었다. 술은 나에게 쾌락을 주었지만, 그에 따른 고통은 쾌락의 수십 배가 넘는다. 술이 주는 기쁨은 무조건 가짜다. 절대 속지 말아야 한다. 대신 글은 나에게 쾌락이 아닌 기쁨을 준다. 술처럼 뇌와 몸을 교란해 파멸에 이르게 하는 외부적 자극이 아니라 내면의 깊은 곳에서 샘솟는 맑은 기쁨이다.

내가 술을 끊고 그 자리를 글로 대체하면서 많은 변화가 일어나기 시작했다. 먼저 하루 중에 책을 읽거나 글을 쓰는 시간이 대폭 늘어났다. 네이버 금주 카페에 금주 일기를 올리기 위해 블로그를 시작했다. 그렇게 매일 블로그에 글을 올리자 이웃이 늘어나기 시작했고 급기야 이웃이 5천 명을 넘어섰다. 내 글에 더 많은 공감과 댓글이 달리고 조회 수도 점점 늘어갔다. 나는 더 좋은 글을 올리기 위해 더 열심히 책을 읽어야 했고 그런 시간이 늘어날수록 나의 생활은 더욱더 글과 하나가 되었다. 그러자 예전에 술을 마실 때와는 다르게 정신이 맑아지기 시작했다. 정신이 맑아지자 어떤 글에서는 빛이 보이기 시작했다. 빛나는 글은 술로서는 도저히 가 닿을 수 없는 환희의 세계로 나를 인도했다.

글이라는 것에도 "끌어당김의 법칙"은 유효했다. "글은 글을 부른다.". 나는 더 많은 글을 대하면서 그동안 잊고 살았던 어릴 적 꿈을 떠올렸다. '작가가 되는 것' 나는 이제 매일 밤 술에 취해 꾸던 악몽을 대신해 새로운 희망의 꿈을 꾼다. 글의 힘이 얼마나 위대한지 세상에 알릴 것이다. 글이 술보다 수 천배는 강하다는 걸 더 많은 사람에게 보여줄 것이다.

글을 통해 내가 이루고 싶은 목표는 크게 두 가지다.

첫 번째는 당연히 작가가 되는 것이다. 그냥 작가가 아니라 베스트셀러 작가, 그것도 세계적으로 30개국 이상에 번역되어 출간되는 유명한 작가가 되는 것이다. 그동안 내가 술을 마시느라 허비한 시간과 체력과 열정이라면, 그리고 보통 사람의 수명을 나에게 허락한다면 충분히 가능한 일이다. 이제 주류업계에서는 나를 싫어할 게 분명하다. 대신 출판업계는 내게 손짓하라. 절대 후회하지 않을 것이다.

나의 두 번째 목표는 진리를 얻는 것이다. 진리는 거창한 것이 아니다. 참된 나의 내면과 만나는 일이다. 생노병사하는 현상 속의 초라한 몸뚱어리인 나를 넘어 절대적 존재로서의 나를 만나는 것, 그것이 내 인생에서 가장 크고 가장 높은 마지막 목표다. 진리는 고통받는 모든 사람을 구원해 자유의 삶을 살게 할 유일무이의 절대다. 결국 글을 통해서 우리가 가야 할 나라는 글 자체가 아니라 진리다. 진리는 글을 초월한다. 언제나 관념 너머에 있다. 아무리 수천, 수만의 책과 글을 읽고 쓴다고 해도 진리가 없다면 무슨 소용이 있겠는가.

불교의 대표적인 경전인 금강경에는 "여벌유자(如筏喩者)"라는 말이 있다. "뗏목을 타고 강물을 건넜으면 뗏목은 버려야 한다."라는 뜻이다. 글은 진리를 향해 가기 위한 뗏목에 불과하다. 글은 부를 가져다줄 수도 있고 명예를 가져다줄 수도 있다. 하지만 부도 명예도 결국은 사라지고 마는 것 아닌가. 진리는 사라지지 않는다. 불생불멸이다. 우리는 확률적으로 표현하기조차 힘든 수억겁의 인연으로 지구라는 별에 왔다. 이 소중한 기회를 얻었으면서 진리를 모르고 죽는다면 이 얼마나 어리석고 안타까운 일인가.

미국의 유명한 소설가 마크 트웨인Mark Twain은 말한다. "아담이 인간에 불과하다는 사실이 모든 것을 설명한다. 그는 선악과를 원해서 선악과를 딴 게 아니다. 단지 선악과가 금지되어 있었기 때문이다. 하나님의 실수라면 뱀을 금지하지 않은 것이다. 만일 뱀을 금지했다면 그는 뱀을 먹었을 것이다. Adam was but human—this explains it all. He did not want the apple for the apple's sake, he wanted it only because it was forbidden. The mistake was in not forbidding the serpent; then he would have eaten the serpent."

아담이 나약한 인간이었기 때문에 선악과를 땄던 것처럼, 우리가 술이라는 악에 빠진 이유도 불완전한 인간이기 때문이다. 하지만 우리에겐 아직 선악과를 따기 이전의 순수하고 고귀한 본성이 남아 있다. 관념이라는 오랜 어둠의 터널에 갇혀 그 빛을 보지 못할 뿐이다. 이젠 진실의 순간을 맞이할 때가 도래했다. 신

나에게 술은 외계인이었다

은 선악과를 금지했고, 뱀의 유혹에 빠진 우리는 그 선악과를 따 원죄를 저질렀다. 마찬가지로 신은 술을 금지했지만, 생각이라는 망령이 쾌락이라는 가면을 쓰고 우리를 유혹해 우리는 술의 늪에 빠졌다. 우리는 누군가에 의해 금지된 것으로부터 자유로워져야 한다. 그러기 위해서는 단 하나의 방법만이 존재한다. 그것은 바로 나에게 금지된 것을 나 스스로 금지하는 것이다. 금지라는 행위를 누군가에게 맡기면 나는 또다시 타락할 수밖에 없다.

그동안 내 삶에서 나에게 괴로움을 주던 것의 정체는 결국 술도 외계인도 아니었다. 금지된 것을 취하게 하고, 금지된 곳으로 이끌어 나를 파멸에 이르게 하는 힘의 정체, 그것은 바로 나 자신이었다. 외계인은 세상 그 어디에도 없다. 외계인이 존재한다면 그건 오직 내 마음속에 있는 가짜인 나, 에고의 나가 바로 외계인이다. 나는 이제 나를 괴롭히는 내 안에 외계인을 죽임으로써 다시 태어나야 한다. 장자는 말한다. 오상아吾喪我라고, 깨달음을 얻은 나는 어리석은 과거의 나를 죽여야 한다. 술에 의해 오염된 나를 죽여 장사지내고 이제 나는 새로운 나로 태어날 것이다.

술로 인해 고통받는 모든 사람은 이제 그 망령된 영혼을 천도하고 새로이 태어나라.

에필로그

먼저 그동안의 나의 음주로 인해 상처받고 고통받았을 내 가족에게 용서를 빈다. 특히 이제는 하늘나라로 가신 사랑하는 나의 어머니께 이 아들의 맑고 든든한 모습 보여드리지 못해 죄송한 마음 가눌 길이 없다. 고등학교 시절 비탄에 빠져 방황할 때, 어머니는 마시고 같이 죽자며 우중충 달빛 아래 소주병과 농약병을 내어놓으셨다. 나는 정말 죽을 요량으로 농약병을 집어 들었고 설마 했던 어머니는 갑작스러운 나의 행동에 놀라시며 온몸으로 제지하고 나섰다. "엄마가 잘못했다. 죽지 마라 아들아. 죽지 마라 아들아!" 절규하시던 나의 어머니. '이 불효자를 부디 용서하세요.'

그리고 술로 인해 생겨난 나의 모든 실수와 부적절한 행동을 가슴 깊이 참회하며, 그로 인해 상처받은 누군가가 있다면 이 자리를 빌어 심심한 용서를 구한다.

이제 나는 내 삶에서 이루고자 하는 목표가 완전히 달성될 때까지 술을 끊을 것이다. 그리고 나의 모든 시간을 희생하고 봉사하며 나 아닌 남을 위해 살 것을 약속한다.

지금도 술로 인해 고통받는 피해자와 가족들, 그리고 술로 인해 가해자가 된 어리석은 자들과 그로 인해 고통받을 그의 가족들에게 심심한 위로의 말을 전한다. 더불어 이 글이 술로 인해 고통받는 이 땅의 모든 사람에게 전달되어 그들에게 위로가 되고

새로운 삶의 이정표가 되길 바라며, 그들이 술로 인한 고통에서
하루빨리 벗어나기를 간절히 바라는 바이다.

엔냐의 뉴욕 여행기

번아웃을 넘어 희망을 찾아서

김엔냐

프롤로그

여전히 코로나바이러스가 기승이던 2021 12월 연말, 새해에는 뭔가 해야겠다는 생각에 미라클모닝 챌린지에 참여했다.

새벽 5시에 일어나 매월 14일 동안 SNS에 기상 인증하는 챌린지이다. 1월부터 12월까지 하루도 안 빠지고 챌린지에 참여한 완주자가 2,100명에 달한다. 여기에 나도 포함됐다.

많은 이들이 새해에 결심을 하고 이내 잊어버리곤 하지만, 나는 끝까지 해내기를 간절히 바랐다. 그동안 지키지 못한 무수한 계획과 목표들이 살아가면서 마음을 짓누르는 게 불편했기 때문이다. 새벽의 고요함 속에서 시작되는 미라클모닝은 벚꽃이 흩날리는 봄날에도, 온난화로 연일 최고 온도를 갱신하는 여름에도, 낙엽이 지는 고독한 가을에도, 무섭게 내리는 폭설이 오는 겨울에도 계속되었고, 마침내 그 여정을 끝내게 됐다.

버킷리스트 중 하나를 달성한 나 자신에게 칭찬을 해주고 싶었다. 지금은 주 1회만 새벽 기상을 하는데 2022년의 미라클모닝 실천은 내 삶의 깊은 변화로 이어졌다.

목표를 달성할 수 있겠다는 자신감, 이 상태로는 뭐든지 다 해낼 수 있을 것 같았다. 그중 하나가 지난날 세웠던 계획 중에서 미완의 상태로 중단된 숙제를 끝내고 싶다.

번아웃이 와서 떠났던 뉴욕여행일기를 글로 남겨보는 것이다. 그간 호주, 일본, 상하이, 세부, 발리 등 여러 곳을 여행했지만, 유난히 기억에 생생히 남아 있는 뉴욕!

프랭크 시나트라가 부르는 <New York, New York>을 언제 들어도 가슴을 설레게 한다.

나를 당당하게 해준 뉴욕여행의 시작

가장 오랫동안 일했던 회사에서 그야말로 워커홀릭이었다. 주말에도, 밤늦은 시간에도, 심지어 가족과 보내야 할 소중한 순간들마저도 회사를 위해 일했다. 밥 먹는 시간도 아까워 캔 참치를 넣은 김치찌개에 밥을 말아 먹었다. 집 뒤로 녹색 찬란한 큰 공원이 있는 것도 이사온 지 3년 뒤에나 알게 되었다. 나의 업무는 자산운용상품을 판매하는 일이었다. 롤모델이 있어서 입사 1년 만에 빠르게 성장해 팀장까지 역임했었다. 주어진 업무의 결과물을 얻어내려고 회사를 위해 헌신하며, 나 자신을 뒤로한 채로 살아왔다. 그런데 돌아오는 것은 '누가 그렇게 하래?'라는 씁쓸한 충고와 비아냥뿐이었다. 진심 어린 동정과 위로를 바랐던 건 욕심이었을까.

생각이 다르기에 대꾸조차 하지 못했다. 분하기보다는 맞는 말일지도 모른다고 생각했다. 멘탈이 흔들리고 어디론가 떠나고 싶었다. 모든 것을 내려놓고 혼자만의 여행을 하고 싶었다. 이왕 떠나는 거 멀리 아주 멀리, 그래서 선택한 곳이 뉴욕이다. 내 머릿속 뉴욕은 <섹스 앤드 더 시티> 드라마와 나오미 왓츠 주연 영화 <킹콩>말고는 없었다.

퇴사를 앞두고 지점장과 면담이 있었다. 지점장님은 한 달 쉬고 다시 일해보라고 하셨다. 그래도 5년 동안 재직한 나를 배려했다는 작은 감동은 받았으나 '누가 그렇게 하래?'라는 상처의 말을 덮기에는 역부족이었다.

"한 달은 힘들 것 같아요. 두 달, 석 달 걸릴 것 같아요." 지점장은 "(곤란하다는 듯 약간의 침묵) 그래. 많이 아쉽네." 실제로 뉴욕은 한 달 가지고는 샅샅이 볼 수 없다. 성격상 지키지 못할 약속은 하지 않기 때문에 솔직하게 얘기했다. 다시 돌아온다면 과연 앞만 보고 달렸던 입사 초기처럼 잘할 수 있을까 자신도 없었다. 번아웃이 제대로 왔었다.

남들은 뉴욕행을 부러워했지만, 사실 더 오래, 더 멀리 한국을 떠나고 싶었다. 그것은 단순한 여행의 목적이 아니었다. 나를 찾아 떠나는 여정이었다.

프리덤 Freedom!

여행의 시작은 한 여행사에서 소개한 8박 10일의 미국 동부 패키지여행이었다.

'300만 원으로 한 달 유럽 배낭여행'이 유행했던 시기였다. 유럽여행 일정을 계획하는 과정에서 비행기에서 배, 배에서 기차로 이어지는 루트를 짜는 게 쉽지 않았다. 일처럼 느껴져서 결국, 유럽 배낭여행을 포기했다. 가이드와 함께 하는 안전한 여행을 원했다. 여행코스는 크게 '게츠버그→ 워싱턴D.C→ 나이아가라 폭포→ 맨해튼' 일정으로 알찼다. 자유여행도 장점이 있지만, 가이드의 역사 해설이 여행을 더 풍성하게 만들어주었기 때문에 패키지 여행을 추천한다.

캐나다 국경 지역의 나이아가라 폭포를 보기 위해, 워싱턴D.C에서 야간에 봉고차를 타고 이동했다. 가이드가 불면증이 있는 사람에게 이동시간 동안에 영화를 한 편 보는 것을 추천했다. 미국에 왔으니 꼭 봐야 하는 영화라며 추천하는데, 그것은 내 최애 영화 중 다섯 손가락에 뽑히는 영화 <브레이브 하트> 였다. 영국의 통치에 맞선 스코틀랜드 지도자 윌리엄 월리스의 투쟁을 그린 영화다. 목숨을 다해 '프리덤 Freedom!'을 외치는 마지막 장면에서 어두컴컴한 버스 안에서 감동의 눈물을 흘렸다. 영국의 식민지였던 미국은 1776년에 독립했다. 윌리엄 월리스의 투쟁 의식과 저항, 후손들의 자유에 대한 열망으로 미국이 1776년에 독립하게 된 것이라고 유추했다.

세상의 중심에서 홀로서기

뉴욕으로 가는 비행기 편은 예약했지만, 돌아오는 항공편은 예약하지 않았다. 여행사에서 마지막으로 내려준 장소가 맨해튼이다. 배낭을 메고 대형 캐리어를 끌며 맨해튼 5번가에 혼자 남겨진 순간은 지금도 생생하다. 갈 곳 없는 나그네가 이런 느낌일까, 세상에 중심에서 홀로 남겨진 아이처럼 두려웠다.

8박 10일 동안 지냈던 패키지 일행과 헤어진 후, 맨 먼저 커피 향이 그윽한 스타벅스부터 찾았다. 사실 한국에서 오기 전부터 해보고 싶었던 소소한 로망이었다. 도심 한가운데서 맥북을 켜고 커피 한 잔을 하는 모습은 멋져 보였다. 맥북은 아니지만, 지금의 노트북보다 훨씬 무거운 삼성 노트북을 켜고 커피를 주문했다. 늘 언제나 그렇듯이 동경하는 걸 따라 해보는 취미가 있다. 너만 할 수 있느냐? 나도 할 수 있다는 식.

내 발음을 알아들을까 걱정했지만, 뉴욕은 그렇게 걱정하지 않아도 된다. 워낙 관광객이 많이 오가는 도시여서 두리번거리는 여행객이 무엇을 원하는지 단번에 알아차린다. 노프라블럼! 지금은 파파고나 구글 번역기가 있으니 얼마나 편해졌는가.

여행하다가 허기가 지면 길거리 음식 프레첼 Pretzel[1]를 사 먹곤 했다. 상인에게 단지 '센트럴파크?'라고 물었을 뿐인데, 그들은 재빨리 목적지를 정확히 안내해주었다.

---

[1] 얇고 가늘게 민 반죽을 하트 모양으로 만들어 튀겨낸 후, 소금을 뿌려 머스터드 소스에 찍어 먹는 것이 정석이다. 벤더에서 먹을 수 있지만, 미식가라면 가게에서 갓 구워낸 것을 먹도록.

위에 뿌려진 건
설탕이 아니고 소금이다

미국 '국민 간식' 프레첼

　귀국 날짜를 정하지 않은 채, 맨해튼에서 지하철로 1시간 거리의 뉴욕 퀸스 '플러싱'이란 곳에서 첫 숙박을 했다. 숙소는 비교적 가격이 저렴해서 예산을 아끼는 데 큰 도움이 되었다. 첫날은 혼자 방을 썼지만, 이튿날부터는 새로운 룸메이트와 함께 지내기 시작했다. 우리 둘 다 뉴욕이 처음이라, 타임스 스퀘어에 함께 가기로 했다.

　그녀는 20대의 풋풋함이 가득하고 오랜 해외 생활로 영어를 잘 구사하는 친구였다. 그녀는 외출할 땐 노란색 가발을 쓰고 화려한 옷차림을 했다. 반면에 나는 편안함을 최우선으로 여기며 등산복 차림이었다. 하지만 그녀의 영향으로 나의 옷차림도 조금씩 변화하기 시작했다. 여행하는 동안 소호 거리의 화려한 옷가게들을 방문하며, 점차 나만의 스타일을 찾아갔다.

360도 파노라마로 구경하는 타임스 스퀘어

대형 광고 스크린과 화려한 네온사인, 수많은 관광객이 모여 있는 이곳은 세계의 중심임을 실감 나게 한다. 뉴욕의 심장부인 타임스 스퀘어는 세계의 눈부신 교차로다. 옛날 인디언들이 말 타고 다녔던 곳이 역삼각형 모양의 브로드웨이이다. 이 삼거리 공간에 디지털 사이니지 digital signage[2]를 통해 나오는 정보로 가득 차다. 이곳은 여행객이나 뉴요커의 만남의 장소이기도 하다. 워낙 사람이 많으니 차가 다니지 못하게 해놓고, 그곳에 테이블과 의자를 뒀다.

360도 원하는 방향에서 사이니지를 볼 수 있는 의자라서 혼여족에게도 안성맞춤이다. 연간 약 1억 3,100만 명의 방문객이 이곳을 찾는다고 한다. 2019년 전 세계적으로 사랑받는 글로벌 아이콘 방탄소년단이, 2023년에는 멤버 정국이 매혹적인 퍼포먼스로 이곳에서 K팝을 빛냈다.

---

2 기업들의 마케팅 및 광고에 활용되며 LCD, LED 같은 디지털 영상 장치에 보여주는 것이다.

타임스 스퀘어 밤은 사람들로 북적인다

롱에이커 스퀘어 Long acre Square로 알려졌던 타임스 스퀘어는 1904년 뉴욕 타임스 본사의 이전과 함께 시작되었다고 한다. 40년 전만 해도 포르노와 스트립쇼 공연장이 즐비한 우범지대였지만, 1990년대 재개발이 되면서 극장, 고급호텔, 수많은 상점이 들어서는 놀라운 변화를 겪었다. 그래서인가 당시 아시아 여행객을 타겟으로 총을 겨누고 돈을 뺏는 사건이 일어나는 우범지역이라고 조심하라는 경고를 게스트하우스 친구에게 종종 듣기도 했다.

새해 전야 볼 드롭 New Year's Eve Ball Drop[3]은 인기 예술가의 공연과 새해를 알리는 카운트다운에 맞춰 밤하늘을 수놓는 불꽃과 색종이로 황홀한 광경이 펼쳐진다. 세계적으로 기대되는 행사 중 하나다. 이 행사를 보려면 오후 2~3시경부터 자리를 잡고 기다려야 한다고 하니 도전하기에는 시간적 제약이 있었다. 결국 보지 못했다.

'tkts'라고 하는 티켓부스는 브로드웨이 공연 티켓을 파는 곳이다. 당일 공연 티켓을 50%로 저렴하게 살 수 있어서 늘 100m 이상 긴 줄이 늘어서 있다. 이 티켓부스는 한국계 호주인 건축가 존 최와 타이 로피아가 공모전에서 선정된 작품이다. 건축가는 티켓을 구매하기 전, 티켓 부스 위의 계단으로 올라가서 빌보드 사이니지를 감상할 수 있도록 공간을 설계했다고 한다.

<팬텀 오브 오페라>, <빌리 엘리어트>, <위키드> 등은 365일 공연하는 작품이다. 국제학생증이 있으면 할인도 받을 수 있다. 오전에 매표소에서 예매한 후, 저녁에 볼 수 있다. 공연을 기다리는 동안, 중간에 타임스 스퀘어 주변 센트럴파크나 그랜드센트럴 터미널, 뉴욕현대미술관을 방문하는 일정으로 짜면 된다.

---

3 저녁 6시 정각 행사 시작을 알리는 볼 레이징 Ball Raising (LED 볼을 꼭대기로 올리는 행사)가 이뤄지며, 밤 11시 56분쯤 존 레넌의 <Imagine>이 나오며, 노래가 끝나면 1분 카운트다운을 하면서 볼이 내려오는데 이것을 볼 드랍이라고 한다. 0시가 되어 볼이 끝까지 내려오고 새해가 되자마자 스코틀랜드의 민요인 <Auld Lang Syne>, 프랭크 시나트라의 <New York, New York> 등이 순서대로 맨해튼 한복판에 울려 퍼진다.

양쪽 tkts 티켓부스 사이로 계단건축, 그 앞에 프랜시스 더피 동상이 있다. 남북전쟁 당시 많은 미국인의

목숨을 구했다고 한다. 서울 광화문 광장처럼 유명한 곳이다.

◁ 팬텀 오브 오페라

빌리 엘리어트 ▷

여행 기간 동안 맨해튼 미드타운의 중심인 타임스 스퀘어를 자주 찾았다. <팬텀 오브 오페라>, <빌리 엘리어트>를 봤었는데, 영화보다 훨씬 감동적이고 실감나서 티켓값이 아깝지 않았다. 빌리 엘리어트 역할을 한 어린 친구가 어찌나 연기를 잘하는지 넋을 잃고 말았다.

타임스 스퀘어에 다녀온 뒤로 한국에서 느꼈던 우울한 감정과 상처의 말들은 전혀 생각나지 않았다. 아니 생각나지 않게끔 내 눈을 즐겁게 했다. 이 휴식이 도파민의 효과로 상처받은 과거를 잠시 잊게 해주었다. 나는 진정 도파민의 민족이란 말인가. 시간이 흐른 뒤, 가끔 현실에서 잊고 싶은 기억이 있을 때면 가상세계 이프랜드 ifland에 입장한다.

두리번두리번 360도 파노라마로 손가락으로 돌리다 보면 시간 가는 줄 모르고 금세 현실을 잊게 된다. 이프랜드는 AR, VR 기술을 통해 타임스 스퀘어를 완벽하게 구현해냈다. 타임스 스퀘어 거리가 궁금한 분들은 한번 들어가 보시길.

뉴욕 지하철에서 울리는 뮤직

◁ 다운타운 방향 레드라인　　　　　업타운&브롱스 방향 레드라인 ▷

　　도무지 알아들을 수 없는 지하철 안내방송, 뉴욕 지하철은 1904년에 개통[4]했다. 한 층만 내려가도 지하철 플랫폼이 나오고 천장이 무척 낮다. 쥐가 나올 정도로 지저분하고 음산하다. 초록색 램프처럼 생긴 것이 지하철 입구를 나타낸다. 레드 램프는 계단이 있지만 들어갈 수 없다(No entry). 뉴욕 메트로 카드 Metro Card는 대부분 카드 결제가 가능한 기계에서 구매한다. 역무원이 있으면 현금으로 직접 구매할 수 있다. 언리밋 Unlimited Ride 카드는 최소단위가 7일과 30일이다. 3일 이상 뉴욕을 여행하는 자

4　한국은 1974년에 개통했다.

라면 7일 무제한 카드($34.00)를 추천한다.

한국처럼 다양한 환승구간이 있으니, 특히 급행인지 아닌지 꼭 확인하고 타자. 24시간 운행하는 뉴욕 지하철은 늦은 밤에도 안심하고 숙소까지 갈 수 있다는 것이 큰 장점이다.

어느 해 겨울 일본 도쿄여행에서 바깥 날씨가 추워 내려야 할 곳을 지나치고 계속 지하철을 탄 적이 있다. 뉴욕에서도 마찬가지다. 약속 시간이 정해져 있지 않은 여행자의 특권이라고 할까, 정처 없이 계속 지하철을 타고 어디론가 향했다. 그러다가 환승 구역 통로를 지나는데 흥겨운 음악 소리가 들려왔다. 어린아이가 브레이크 댄스 공연을 하는 게 아닌가. 하지만 일행으로 보이는 어른들이 강제적으로 기부를 요구해서 기분이 언짢았다.

앤디 워홀의 동상이 있는 유니온 스퀘어 환승 구역에는 예쁜 아가씨가 기타를 치며 노래하고 있었다. 그녀의 해맑은 미소와 어우러진 기타의 선율이 흘러나왔다. 관람하는 이들에게 행복의 바이러스를 전파하는 느낌을 건넸다. 그녀의 행복지수는 과연 얼마나 될까? 마냥 부러운 듯 미소가 저절로 지어졌다.

뉴욕 지하철 내부   유니온 스퀘어역 안 기타 공연

맨해튼 미드타운의 추억

퀸스 플러싱 게스트하우스

    뉴욕은 서울보다 위도가 높기도 하지만, 3월인데도 한겨울처럼 스산했다. 뉴욕 온라인 벼룩시장을 통해 찾게 된 퀸스 플러싱 게스트하우스는 가정집에서 빈방을 쉐어해주는 곳이다. 맨해튼의 활기 넘치는 곳과는 사뭇 다르게 조용하다. 한적한 동네여서 그런지 아직 멘탈이 회복되지 않는 나에게 치명적이었다는 사실을 뒤늦게 알게 됐다. 한국에서 느꼈던 우울한 감정은 룸메이트가 떠나고 혼자 덩그러니 있는 날에 더욱 깊어졌다. 그럴때면 나는 슬픔의 구렁텅이에서 헤어나오지 못했다. 구렁텅이 속에선 앞만 보고 달렸던 수많은 고생들이 한순간에 물거품이 되는 것 같았고, 절망감마저 감돌았다. 다이나믹한 타임스 스퀘어, 스타벅스의 커피 향이 손짓하는데도 외출하기에는 엄청난 용기가 필요했다. 동틀 아침에 눈을 떴다가 커튼을 열지 않은 채 그대로 깜깜한 밤이 돼서야 일어나곤 했다. 우울병에서 우울증으로 갱신한 것인가. 더는 안 되겠다 싶을 때 맨해튼 도심과 가까운 지역으로 옮겨야겠다고 생각하고 실행에 옮겼다.

◁ 게스트하우스에 나와 바로 찍은
엠파이어스테이트 빌딩

플랫아이언 빌딩 ▷

퀸스 플러싱 게스트하우스에서 한 달간의 장기 렌탈을 끝내고 두 번째 숙소를 정했다. 한국인이 운영하는 게스트하우스였는데, 한국인만 모인 1호점은 이미 마감되어 2호점 다국적 여행객이 모인 곳으로 가게 됐다. 국적은 캐나다, 독일, 일본 등 다양했다. 나는 일본여행으로 터득한 유창하지 않은 일본어, 짤막한 영어로 일본인과 소통에 문제가 없었다. 그때 만난 일본인 유카짱은 지금도 페이스북 친구다. 혼자하는 여행이라 한국인이 없는 2호점에 배정돼서 처음에는 아쉬웠지만, 이것이 뉴욕을 한 번 더 방문하는 계기가 됐다.

오밀조밀 붙어 있는 8인실 도미토리, 돈을 아낄 수 있다면 도미토리든 거리가 멀든 별 신경을 쓰지 않았다. 아직 여행은 진행 중이고 언제 일어날지 모르는 변수를 고려해서 최대한 아끼고 아꼈다. 웬만하면 걷기. 이때 걷기 앱이 있었으면 여행 기간 내내 만보 걷기는 누워서 떡 먹기였을 텐데. 지금은 반대다. 이왕 가는 거 편하게 머물 수 있는 공간이 필요하다. 사람은 나이에 따라 환경에 따라 변하는 것 같다.

맨해튼은 크게 업타운, 미드타운, 다운타운으로 구역이 나뉜다.

두 번째 게스트하우스의 위치는 미드타운으로 주변 관광지가 다양하다. 문 앞에 바로 엠파이어스테이트 빌딩[5]이 보였다. 볼 때마다 영화 <킹콩>에서 킹콩이 높은 탑에 올라 가슴을 치는 장면이 생각난다. "Maybe My Luck Has Changed (어쩌면 내 운이 바뀐 것일지도 모르겠어)" 노래 선율에서 여전히 울컥거린다. 영화 속 한 장면이 생각나는 이 멋진 장소를 눈앞에서 볼 수 있는 건 엄청난

---

5 개장 1931년, 지상 102층 · 지하 2층, 높이 381m (안테나 포함 443.2m), 뉴욕을 360도 파노라마로 감상할 수 있다. 꼭대기를 비추는 조명의 색은 시즌과 의미 있는 날에 따라 계속 변하는데 아카데미 시상식은 골드칼라다.

행운이었다. 가장 넓은 매장을 자랑하는 메이시스 뉴욕 본점은
게스트하우스에서 5분 거리에 있다. 그 옆 32번가 한인타운은 한
국 음식이 먹고 싶을 때 'H 마트'라는 곳에서 김치, 라면, 각종 과
자류 등을 저렴하게 사 먹을 수 있었다. 장기여행을 계속하게 해
준 고마운 곳이기도 하다. 남쪽으로 5블록만 내려가면 다리미를
연상케 하는 플랫 아이언빌딩이 있다. 플랫아이언 빌딩 사진을
찍고 오른쪽으로 보면 매디슨 스퀘어 파크가 있는데, 바로 뉴요
커들이 열광하는 섹섹버거 1호점이 있다. 1시간 이상 기다려야
하는 곳이기에 짧은 여행을 하는 이들에게는 타임스 스퀘어 2호
점으로 추천한다. 공원에서 도보 15분 거리에 2012년 싸이와 마
돈나가 커플 말춤을 춘 유명한 공연장 매디슨 스퀘어[6]가든이 있
다. 옆에는 뉴욕 펜역[7]이 있다.

뉴욕 펜실베이니아 역

---

6 미국 4대 대통령 제임스 매디슨의 이름을 따서 불리게 됐다. NBA 뉴욕 닉스와 NHL 뉴욕 레인저스의 홈경기장으로
사용하고 있고, 프로레슬링의 성지라고 불리는 경기장이다.

7 Penn 역으로 알려진 뉴욕 펜실베이니아 역은 매디슨 스퀘어 가든 지하 1층에 자리 잡은 뉴욕시의 주요 도시 간 철도
허브이다. 하루 750여 대의 열차가 발착하고 60만 명이 드나드는 곳이다.

숙소를 옮겨도 42번가 타임스 스퀘어는 빈번하게 가는 곳이 되어버렸다. 관광객들이 서로 사진을 찍어 주기 때문에 혼자 가도 인생샷을 건질 수 있으니 걱정하지 말길.

　하루하루 신기한 경험과 맨해튼 도심 걷기로 한국에서 있었던 아픈 상처의 순간은 서서히 치유되기 시작됐다. 아무 생각 없이 돌아다니고, 갔던 곳에 또 가서 구석까지 다시 살펴보고, 남는 건 사진이라고 열심히 사진으로 남기는 작업을 했다. 우울병이 걸린 환자의 모습이 절대 아니었다. 미지의 세계에 빠져들어 간 <이상한 나라의 앨리스>의 앨리스처럼, 의기소침했던 내가 호기심 가득한 살아 있는 나로 다시 태어난 것이다.

쉑쉑버거 2호점, 타임스 스퀘어

뉴욕현대미술관 MoMA에서 겪은 문화충격

별이 빛나는 밤에, 고흐의 눈에서 본 세상

  뉴욕현대미술관은 2십 만여 점의 근현대 미술작품을 자랑하는 미술관이다. 한국에서 가장 많은 작품의 수로 자랑하는 리움 삼성미술관이 1만 5천 점 이상이라고 하니 비교가 되겠는가. 1929년 세 명의 진보적이고 영향력 있는 예술 후원자, 릴리 P. 블리스, 메리 퀸 설리반, 애비 알드리치 록펠러가 현대 미술만을 전담하는 기관을 설립할 필요성을 인식하고 The Museum of Modern Art 'MoMA'를 만들었다고 한다. 매일 오전 10시 30분부터 오후 5시 30분까지 성인은 $25이지만 금요일 오후 4시부터는 무료[8]다.

6층 건물에 주요작품은 4~5층에 있으니 시간이 부족하다면 4~5층부터 구경하자. 이 층에서 빈센트 반 고흐를 만날 수 있다. 정신병원에서 고흐가 바라본 세상을 그린 <별이 빛나는 밤에>는 직접 보니 채도가 낮게 느껴졌다.

큐비즘(입체주의)의 시초 파블로 피카소는 <아비뇽의 처녀>로 유명한 화가다. 영화 <타이타닉>에서 로즈의 약혼자 칼이 "그 피카소인가 하는 친구, 성공하지 못할걸"이라고 잭을 비웃는 대사가 나온다. 이 장면에서 로즈가 들어 본 그림은 피카소의 걸작 중 하나인 <아비뇽의 처녀들>의 다른 버전이다. 가끔 TV에서 명작 특선으로 자주 틀어주는 <타이타닉>을 볼 기회가 있다면 그 부분을 눈여겨보자.

장기여행자로 금요일 무료시간에 맞춰 여러 번 방문했다. 5시 30분에 문을 닫아서 깃발을 꽂듯 분주하게 오르락내리락 그림을 구경했다. 남는 건 사진, 무조건 찍고 보자. 그림 설명서까지 찍었다. 아쉽게도 귀국 후 노트북이 고장나는 바람에 지금은 찾을 수 없는 자료가 됐다. 그나마 글을 쓸 수 있는 건, 블로그에 올린 사진과 사진 밑 짤막하게 쓴 일기 같은 한두 줄의 글 덕분이다.

---

8 현대카드 플래티넘급 이상 카드를 제시하면 당일 무료입장이 가능하다(동반 2인까지). 모마 티켓을 가지고 퀸스에 있는 모마 PS1을 2주 이내에 방문하면 무료로 관람할 수 있다.

모네 〈수련〉

그림 보는 관람객

클로드 모네의 <수련^9> 앞에는 커다란 네모 모양의 소파가 있었다. 그곳에 잠시 앉으려는데 후드티를 입은 30대로 보이는 한 남자가 매우 진지하게 <수련> 작품을 보고 있었다. 발길을 돌려 위층 주요작품을 이 잡듯이 구경하고 다시 내려왔을 때 <수련> 앞의 남자가 계속 그 자리에 있었다. 앉아 있는 형색을 봐서는 2시간은 족히 보는 듯했다. 그는 무슨 생각을 하고 있을까? 나처럼 어디서 도망쳐 왔을까? 그냥 그림을 보면서 모네가 터치한 붓의 방향대로 온전히 그림에만 빠져있는 것인가. 궁금했다. 징글맞은 한국에서 도망쳐 온 내가 맨해튼 놀이를 하며 잠시나마 위안을 받았다. 그러나 이제 불법체류자가 되지 않는 한 어쩔 수 없이 돌아가야 한다. 한국에서 또 살아내야 한다. 취업, 경제적 안정, 결혼에 대한 사회적 기대를 헤쳐나가야 하는 엄중한 선택에 직면하게 된다. <수련>을 본 남자처럼 나도 한 그림을 뚫어져라 응시했다. 초현실주의 화가 살바도르 달리의 <기억의 지속>이다. 구부러진 시계를 보면서 과거에서 미래로 이어지는 시간, 그림이 매개체가 되어 지금 현재에 대해 많은 생각을 하게 했다. 뉴욕 여행을 통해 과연 내가 원하는 게 무엇인지 찾을 수 있을까, 정답이 없는 문제를 풀어가는 쉽지 않은 시간이었다. 짧은 여행의 가벼운 즐거움은 있겠지만, 결국 한국에서 새롭게 시작할 용기가 필요했다. 세상과 맞설 수 있는 용기와 지혜를 뉴욕 여행에서 꼭 얻고자 간절히 원했다.

---

9 모네가 말년에 수련 연작 중 하나로 자신의 불꽃 같은 열정을 볼 수 있는 대작이다.

업타운의 고즈넉함 그리고 러브스토리

　미드타운에서 주요 관광지를 소화하고 또 한 번 숙소를 옮겼다. 숙소를 왜 자주 옮기느냐고 하겠지만 호기심이 많다. 샘 밀러의 <이주하는 인류>에서 지구상에는 호기심 유전자를 지닌 인류가 약 20%라고 한다. 우리말에 '역마살'이란 말이 있다. 이주하려는 속성이 강하다는 뜻이다. 난 어쩌면 여기에 속할지도 모르겠다. 지금도 한곳에 오래 있으면 시선을 돌려 다른 지역으로 옮기고 싶은 마음이 생긴다.

◁업타운의 고즈넉함　　　　　게스트하우스 입구▷

'가슴 속까지 들어오는 뉴욕을 원하는 분들은, 뉴욕 속살까지 보고 싶은 분들은 저희 숙소로 오세요.' 업타운 게스트하우스 주인장 댓글이 아직도 살아 숨 쉬듯 머릿속에 남아있다.

인터넷 카페를 통해 예약한 업타운 게스트하우스는 할렘가와 컬럼비아 대학교 근처에 있었다. 뉴욕에서 묵었던 숙소 중에서 고즈넉하고 가장 깨끗한 곳이었다. 호스트가 영화 <글래디에이터>로 유명한 할리우드 배우 러셀 크로우가 근처 강변에서 조깅을 해서 매일 봤다는 얘기를 자랑삼아 해주었다. 게스트하우스는 남자 숙소, 여자 숙소 나눠서 운영하고 있었다. 나는 룸에 인원이 차서 방이 아닌 거실에서 묵게 되었다. 소파가 있는 거실은 공동 장소이기 때문에 룸 가격보다 저렴하게 숙박을 했다. 대신 아침 6시에 기상해 침구 정리를 하고 7시에 나가는 여행 루틴을 만들게 됐다. 역시 사람은 환경에 적응하게 된다는 걸 느꼈다.

게스트하우스에 숙박하게 된 모든 사람이 한 거실에 모여 서로 인사하고 지금까지 다녀온 여행지를 이야기했다. 앞으로 갈 여행지를 루트가 비슷하면 함께 움직이기로 했다.

운이 좋게도 호스트의 다양한 액티브 활동에 초대되어 뉴욕의 문화를 경험하게 되었다.

와인 파티에 초대되어 소호 거리에서 산 옷을 입고 함께 이동했었는데 건물 앞에서 웬 미국 중년의 남성분이 우리 일행을 보고 "Hi~"라고 반갑게 손을 흔들며 인사를 했다. 무슨 사기꾼이 아닌지 모르는 사람이 다가오길래 인사를 하는 남성을 외면했다. 나중에 호스트가 인사를 하지 않은 나를 불러 미국은 인사하면 인사를 받아주는 게 예의라고 꾸중을 했다. 엄청난 실례라고. 그렇다. 알든 모르든 인사하는 게 아메리칸 스타일인데 난 그걸 대

수롭지 않게 생각했다. 로마에 가면 로마법을 따르라는 건 뉴욕에서도 통한 진리다. 더구나 뉴욕은 세계 중심이지 않은가. 그 이후 누굴 만나든 먼저 인사를 했다. 심지어 공항 입국 심사원한테도 먼저 인사를 했다. 한번 실천해본다면 경비가 살벌한 공항에서도 쉽게 패스가 되는 걸 경험하게 될 것이다. 외국에서는 공무원이 높은 존경을 받는다. 인사를 하지 않거나 어두운 표정을 지으면 쉽게 실망할 수 있으니 조심하자.

뉴욕 동부 패키지여행의 가이드가 마지막 여정인 맨해튼에 데려다주면서 퀴즈를 낸 적이 있다. 'BMW'를 아는지 퀴즈를 냈었다. 한국에서는 버스 Bus, 지하철 Metro, 도보 Walk이라고 통하지만, 뉴욕에서 'BMW'는 브루클린 Brooklyn 다리, 맨해튼 Manhattan 다리, 윌리엄스버그 Williamsburg 다리이다.

업타운에서 하루를 여행한다면 추천하고 싶은 코스가 있다. 윌리엄스버그 다리를 건너 MoMA 분점 PS1 갤러리를 구경하고, 근처 빈티지숍에서 옷이나 신발을 득템하고, 200년 전통의 '피터 루커 스테이크집'에서 저녁을 먹고 오는 순서이다.

대형 창고형 빈티지숍은 구경하는 내내 눈이 즐겁다. 가게 간판 레터링, 바닥에 그린 그림 하나하나가 다 예술처럼 다가왔다.

윌리엄스버그 빈티지숍에서

가는 곳마다 예술이다

창고형 가게가 많다

아이다호에서 온 KJ

시간이 지나감에 따라 게스트하우스 여행객이 하나 둘 한국으로 귀국하거나 다른 여행지로 떠나갔다. 그중 남자 룸메이트였던 한 친구가 귀국하고 한 친구만 혼자 남게 됐다. 나보다 세 살 어리고 이름은 경제, 그래서 KJ다. 미국 서부에서 대학에 다니고 봄 방학을 맞아 뉴욕을 관광하기 위해 온 친구였다.

미국 서부 아이다호를 아느냐고 물어봤는데 당연히 안다고 했다. 존잘남 키아누 리브스의 처녀작 <아이다호> 영화를. 아무튼, 혼자 남은 KJ와 나는 가고 싶은 곳을 정해 이른 아침부터 여행을 시작했다. 영어를 잘하는 KJ가 있어서 너무 편했다. 능숙한 영어로 레스토랑에서 주문하고, 브로드웨이 공연 티켓을 사고, 자유의 여신상을 보러 페리에 함께 탄 외국인들과 대화하는 그가 멋져 보였다. 와인 파티에서 그는 머리에 무스를 잔뜩 바르고 한쪽 귀에 귀걸이를 꼈다. 나와 함께 여행할 때는 항상 깔끔한 복장을 하고 나왔다. 그는 나에게 키아누 리브스였다.

거실 생활로 아침 루틴이 생겨버린 나를 위해 일찍 서둘러서인지 많이 피곤해 보였다. 우리는 그랜드 센트럴 터미널 시계[10]와 내부를 구경하고 벤치에 잠시 앉았다. 오른쪽에 앉은 내 허벅지에 왼쪽에 앉은 그가 머리를 대고 자연스럽게 누웠다. 몇 년간의 미국 생활에서 비롯된 자유로운 그의 행동은 나를 당황케 했지만 흔치 않은 행복함이었다.

청소하는 아주머니 때문에 벤치에서 오래 있지는 못했다. 지금 생각하니 너무 아쉬운 순간이었다. 벤치에서 일어난 그는 갑자기 내 손을 꽉 잡고 발걸음을 움직였다. 순간 당황스러웠지만, 금세 그를 받아들이게 됐다. 사랑이 시작된 걸까.

그랜드 센트럴 터미널 내부, AI 생성 이미지

---

10 오차가 없는 시계다. 독특한 시계 앞에서 〈지미 팰런 쇼〉에 출연한 BTS가 'ON'을 공연했다.

브루클린 브릿지, 덤보는 핫스팟

뉴욕은 불가능한 것이 없는 도시다. 당신이 꿈꾸는 것을 실현시킬 수 있다.

−마이클 블룸버그

해질녘 브루클린 브릿지

맨해튼과 이스트강을 사이에 두고 마주 보고 있는 브루클린[11]은 뉴욕의 5개 구 중 가장 빠른 속도로 발전한 핫플레이스다. 마이크 타이슨, 영화감독 스파이크 리가 이곳 출신이다.

---

11 고풍스러운 브라운 스톤 주택들이 모여있어 고즈넉하면서 여유로운 분위기를 가지고 있다.

브루클린 다운타운과 맨해튼 로어 이스트 사이를 잇는 브루클린 브릿지는 1883년에 완공했다. 영국인들이 이 다리를 보고 미국이 영국을 앞지르기 시작했다고 한다. 2층 복층구조인데 1층 차로는 자동차들이 많이 다녀 고소공포증이 있다면 안보는 게 좋다.

다리 밑으로 보이는 지역이 인스타 성지 덤보이다. 브루클린 소울을 그린 영화 <원스 어폰 어 타임 인 아메리카>의 영화 포스터에도 생생하게 표현되었다. 많은 갤러리가 모여있어 예술 이벤트가 자주 열린다. 원래는 창고 부지가 많은 곳이었는데, 현재는 테크(산업)에 종사하는 사람들이 사는 지역으로 부촌이 되었다. 영화 <인턴> 패션테크 CEO로 나오는 앤 해서웨이의 사무실이 바로 덤보에 있다. KJ와 나는 '아이스크림 팩토리[12]'에서 명물 아이스크림을 먹으려고 바삐 서둘렀다. 아쉽게도 월요일이라 휴무였다. 밤에는 브루클린 브릿지와 로어 맨해튼의 아름다운 야경을 즐길 수 있었다. 우리는 빈티지숍을 구경하고 맨해튼 방향으로 브릿지를 약 1시간 가량 걸었다. 남산타워의 사랑의 열쇠를 본뜬 아니 브루클린 브릿지가 19세기 다리니까 원조일 수 있겠다. 열쇠 사진을 찍고 브루클린 브릿지를 배경으로 멋진 야경 사진을 찍었다. 다리를 건너 역사가 깊은 맥솔리 올드 에일 하우스 McSorley's Old Ale House[13]에서 늦은 저녁을 먹었다. 주문하면 맥주 2잔이 기본으로 함께 나온다. 온종일 여행으로 피곤한 우리

---

12 2% 카카오를 사용하는 진한 초콜릿 아이스크림을 비롯해 최상의 천연 재료를 사용한 바닐라, 커피, 버터 피칸 등 모든 종류가 골고루 맛있다.

13 뉴욕에서 가장 오래된, 160년 넘은 전통의 아이리시 펍이다. 라이트와 다크 두 종류의 에일을 즐길 수 있다.

를 한 번에 씻겨준 고마운 맥주다. 그곳에서 호스트의 지인인 한국인을 만나 합석하게 됐는데 신문사 여기자였다. 뉴욕은 프로페셔널한 직업을 가진 분들이 많은 것 같았다. 이번 생에 뉴욕으로 출장 오는 직업을 가져봤으면 하는 바람이 생긴 날이었다.

브루클린 브릿지로 올라가는 길

브루클린 브릿지에서 걷기

맥솔리 올드 에일 하우스 치즈버거

메트로폴리탄 미술관에서 본 압도적 경치

KJ는 나에게 가고 싶은 곳이 어딘지 종종 물어보곤 했다. 처음에는 가이드북에서 소개하는 명소를 얘기했었고, 점점 미술작품을 보고 싶다고 대답했다. 중학교때 미술대회에서 상을 받고 나서 담임선생은 나에게 미술을 해보라고 권유하셨다. 맞벌이였던 부모님은 미술을 하면 먹고 살기 힘들다고 뒷바라지를 못해주겠다고 하셨다. 결국 미술에 대한 나의 꿈을 접어야 했다. 내 꿈이 무의식 속에서 발현되어 나온 대답일 것이다. KJ는 갑옷 입은 동상에 이어 로댕[14]의 <칼레의 시민> 동상을 한참 동안 보고 있었다. 맨들거리는 동상을 왜 저렇게 빤히 쳐다보고 있는 걸까. 문득 MoMA에서 본 <수련>을 보던 남자가 생각났다. 작품 하나를 보는 시간이 꽤나 오래 걸리는 KJ를 금방 이해할 수 있었다. 뉴요커이든 아니든 내가 만난 사람들은 작품을 보는 시선이 늘 여유로웠다. 갤러리 중앙을 가로지르고 있는 철갑으로 무장한 기사들을 배경으로 인증샷을 찍고 2층 미국관에 올라갔다. 사람들이 많은 곳은 일단 나중에 오기로 하고, 나의 시선을 사로잡는 한쪽 모퉁이 벽으로 향했다. 순간 가장 신기하고 압도적인 광경을 보았다. 미국 미술계의 슈퍼스타 잭슨 폴락[15]의 작품이다. 그는 삼류라고 인식되었던 미국 미술을 오늘의 지위로 올리는 데 큰 공을 세웠다고 한다.

칼레의 시민

14 메트로폴리탄 미술관은 오귀스트 로댕 (Auguste Rodin, 1840~1917)의 사망 100주년을 기념하여 그의 작품을 전시한 바 있다. 〈생각하는 사람〉, 〈하나님의 손〉이 대표적인 작품이다.

15 추상표현주의 화가이며 알코올 의존증이 있었고, 44세 젊은 나이에 음주운전을 하다가 교통사고로 사망했다.

잭슨 폴락의 드립 페인팅 기법

　캔버스의 크기는 자연의 광대함을 시사했다. 그의 독특한 드립 페인팅 Drip Painting 기법은 강한 신체적 움직임과 제스처를 요구한다. 안타깝게도 요절했지만, 강렬한 물감의 흔적을 보고 있으면, 마치 거대한 미국의 힘과 세계를 지배하는 그의 영향력을 연상시킨다.

센트럴파크에서 피크닉을 즐기세요

맨해튼에 두 곳의 중심 공간이 있는데, 타임스 스퀘어와 센트럴파크다. 수많은 사람으로 가득 차고 잠들지 않는 타임스 스퀘어에 비해, 센트럴파크는 인구 밀도가 적고 자연을 흠뻑 즐길 수 있는 공간이다. 면적이 3.41㎢(1,031,525평)로 정도로 거대하다.[16]

공원 주변에는 메트로폴리탄 미술관, 구겐하임 미술관, 카네기홀까지 굵직굵직한 명소가 많다. 입장 시간은 오전 6시부터 새벽 1시까지, 입장료는 무료다. 여기도 조경 전문가인 프레드릭 R. 오름스테드와 건축가 칼버트 복스가 디자인 공모전에서 당선돼 설계된 공원이다. 센트럴파크는 복잡한 대도시 뉴욕에 생기를 불어넣는 오아시스 같은 존재다. 자연을 흠뻑 즐길 수 있고 어디를 가도 그림이 되기 때문에 수많은 영화와 드라마의 배경으로 등장하고 있다. 공원 홈페이지에 가보면 메인화면에 <나 홀로 집에 2>의 케빈과 거지 할머니가 나온 호수가 나온다. 계절별로 이벤트가 많으니 참고하자.

영화 <티파니의 아침에> 주인공 티파니처럼 맨해튼 5번가에서 컬럼버스서클까지 걸었다. 근처 '홀 푸드마켓[17]'에서 간단한 주전부리를 사서 센트럴파크로 입성했다. 거대한 공원의 이곳저

16　59번가에서 110번가까지(센트럴파크 사우스에서 센트럴파크 노스까지), 5번가에서 센트럴파크 웨스트까지 뻗어 있다.

17　홀 푸드마켓 Whole Foods Market은 유기농 및 자연식품에 중점을 둔 고급 식품점 체인으로, 뉴욕에 여러 지점을 운영하며 다양한 신선하고 건강한 제품을 제공하고 있다.

곳을 걸으며 자연과 사람들을 구경했다. 말과 마차 타는 모습도 많이 보이는데 아나운서 출신 방송인 임성민도 이 마차에서 남편한테 프러포즈를 받았다고 한다. 뉴욕의 허파 센트럴파크에서 받은 프러포즈는 로맨틱했을 것 같다.

존 레넌 미망인 오노 요코가 기부한 1만 달러로 조성된 <스트로베리 필즈>도 가볼 만하다.

센트럴파크 중심이며 아이콘으로 파크에 온 연인들의 필수 데이트 코스인 <베데스다 분수>는 사진 찍는 커플들을 많이 볼 수 있다. KJ와 함께 즐거운 사진을 찍은 곳이기도 하다.

◁ 베데스다 분수 컬럼버스서클 ▷

첼시마켓 & 하이라인 파크 나들이

붉은 벽돌의 질감과 공장 분위기가 그대로 남아 있는 첼시마켓은 키친 도구와 식료품을 파는 곳이다. '에이미스 브레드', '엘레니스 쿠키', '팻 위치 베이커리'를 포함해 맛과 품질이 유명한 상점들이 입점해 있다. 첼시마켓 건너편에는 구글 사무실이 있으니 여행코스에 꼭 넣어보기를. 예쁜 것은 절대 놓치는 않는 성격 탓에, 도저히 먹어 없애기도 아까운 알록달록한 쿠키 매장을 들락날락했다.

엘레니스 쿠키

랍스타 플레이스

랍스타 플레이스는 뉴욕에서 가장 큰 랍스터 전문점이다. 살아 있는 싱싱한 랍스터를 구입하거나 바로 만든 신선한 해산물 요리를 즐길 수 있는 곳이다. 관광객들에게 랍스타 조리과정을 보여 주어 가던 길을 멈출 수 밖에 없다.

하이라인 파크는 뉴욕에서 석양을 보기에 가장 좋은 공원이라고 한다. 도로 위로 30피트 높이의 오래된 철로 공원으로, 강과 도시 경관을 즐길 수 있는 명소다. 벤치와 누울 수 있는 널찍한 의자가 많은 것이 특징이다. 야외에서 선탠 suntan하기 딱 좋은 장소다.

KJ와 나는 이 선탠 의자에 누워 파란 하늘을 보며 유유자적 시간을 보냈다. 정말 행복한 순간이었다. 근심도 걱정도 없이 참 오랜만에 여유로움을 즐겼다.

하이라인 파크를 벤치마킹한 공원이 바로 '서울로 7017'이다. 서울역에 가게 된다면 여유롭게 도착해 이곳을 둘러볼 예정이다. 하이라인 파크와 비교 체험이 될 것 같다.

첼시에 왔다면 갤러리 투어를 빼놓을 수 없다. 실험정신이 돋보이는 갤러리들은 미술에 관심이 많은 사람이라면 꼭 들러봐야 할 곳이다. 보통 오전 10시~오후 6시 운영, 대부분 갤러리가 무료며, 월요일에는 휴관하는 곳이 많다.

꽃과 나무를 심고 벤치를 설치해서 공원으로 재탄생했다

다운타운 핫쇼핑 소호 SOHO

트렌디한 뉴욕의 모습을 한눈에 볼 수 있는 소호! 하우스턴의 남쪽 South of Houston[18]의 줄임말로 '소호'다. 1960년대 임대료가 낮아 가난한 예술가들이 터를 잡은 곳이다. 최근에는 소호 땅값이 너무 비싸지면서 일종의 젠트리피케이션으로 첼시 지역으로 미술 갤러리들이 대거 이주했다. 그 자리에는 샤넬, 프라다 같은 명품 숍과 고급 레스토랑들이 들어서기 시작했다. 그렇게 소

---

18 휴스턴 발음이 아닌 하우스턴이다.

호는 뉴욕의 손꼽히는 브랜드 쇼핑 지역이 되었다. 골목 사이로 자기만의 독특한 콘셉트를 가지고 있는 개성 만점 숍과 분위기 좋은 갤러리들이 있는 곳이다.

▷ 소호 갤러리

◁ 소호 노천카페

발타자르에서 주문한 양파 수프와 스파게티

　　차이나타운 놀리타, 트라이베카와 그리니치 빌리지에 둘러싸여 있는 지역으로 반나절 동안 걸으며 먹으며 구경하기 좋다. 노천에 이탈리안 카페가 즐비해 커피 향이 솔솔 나서 지친 여행객을 유혹한다. 잠시 쉬어가기 좋은 곳이다. 80 스프링 역에서 5분 거리의 셀럽이 찾는 레스토랑 '발타자르 Balthazar[19]'가 있는데 KJ와 저녁 식사를 한 곳이라 기억에 남는다. 뉴요커들이 단 하나도 실망한 적이 없다는 발타자르, 디너 타임 때는 어두운 조명 아래 식사를 하게 되는데 고풍스러운 실내는 로맨틱한 분위기라 데이

19　지금도 여전히 인기있는 레스토랑이기 때문에 예약은 필수다.

트 장소로도 그만이다. KJ는 능숙한 영어로 주문을 하고 음식을 기다리는 동안, 우린 서로 사랑의 눈빛을 주고 받았다.

양파 수프, 신선한 굴, 스테이크, 무화과 fig를 얹은 타르트에 아이스크림을 곁들인 디저트가 일품이다. 웨이팅이 있을 땐 주변 길거리 음식을 먹어보자. 푸드트럭에서 풍기는 고소하고 달콤한 향이 코를 찌를 것이다. 눈이 휘둥그레지도록 갤러리와 다양한 브랜드숍을 구경하고 독특한 아이템숍도 방문했다.

신발장에 소호에서 산 스티브마덴 구두가 있다. 굽이 닳아 구두병원에 갔지만 사이즈에 맞는 굽이 없어서 신지 못한 채 가지고 있다. 내 취향의 옷들도 사진으로 많이 남겼다. 지금은 입을 수 없는 체형이 됐지만, 여전히 보는 눈이 즐겁다. 이쯤 되면 패션디자이너나 화가가 돼야 했는데….

소호의 끝자락 즈음, 한국에서도 익숙한 브랜드 '러쉬 LUSH' 가게에 들어섰다. 비누향에 취해 들어오긴 했지만 구매할 생각은 없었다. 이것저것 구경하고 있는데 한 점원이 나에게 말을 걸어왔다. 순간 당황했지만, 한국인이어서 금세 긴장의 끈을 놓았다. 정확히 말하자면 한국계 미국인. 이왕 한국어가 통하는 사람을 만났으니 염치 불고하고 손에 들고 있던 가이드북에 있는 '망고 mango[20]' 매장이 어디에 있느냐고 물었다. 처음에는 못 알아듣더니 이내 '맹고'냐고 했다. '망고'는 '맹고' 발음이다. 그날 이후로 망고를 볼 때마다 늘 그날의 추억이 생각난다. 비누까지 산 나는 그녀에게 1달러 팁을 주었다.

---

20 스페인에서 탄생한 '망고'는 뉴욕 소호에 처음 오픈했다. 자라 Zara보다 더 낫다는 평가가 있다.

준비된 이별도 아프다

KJ의 봄 방학이 끝나고 마지막 일정이 되던 아침, KJ는 여자 숙소의 문을 톡톡 두드렸다. 준비된 이별이기에 아무렇지 않게 문을 열고 1층으로 내려갔다. 서로 여행으로 지친 표정이었지만, 이별이 아쉬운 듯 미소만 머금고 아무 말도 하지 않았다. 7시가 되지 않는 시간은 고요했다. 1층 대문을 열고 모퉁이에서 우리는 마지막 키스를 했다. 뜨거운 포옹을 하며 작별인사를 하고 헤어졌다.

다시 세상의 중심에서 혼자가 된 나는 더 이른 시간에 게스트하우스에서 나와 여행을 했다. 그가 없는 맨해튼은 왜 그렇게도 허전한지, 귀국 날을 더 손꼽아 기다렸다.

우리가 함께 걸었던 브루클린 브릿지 위에는 낭만이라곤 찾아볼 수 없었고, 함께 피크닉을 즐겼던 센트럴파크의 따스함도 이제는 온데간데없이 사라졌다. 맨해튼의 이곳저곳, 그가 남긴 흔적들이 내 마음을 울렸다.

누가 나에게 소원을 묻는다면 12월 31일 밤, 새해를 시작하는 타임스 스퀘어 카운트다운 장소에서 그와 다시 만나고 싶다. 지난 추억을 한 스푼 두 스푼 꺼내먹으며 시간여행을 떠나고 싶다. 이제 각자의 인생이 있으므로 그때 나눈 키스는 못 하겠지만, 그때의 그 진한 포옹을 다시 하고 싶다.

세계를 비추는 자유의 여신상

◁ KJ가 찍어 준 사진

리버티섬에서 만난 갈매기 ▷
(내 휴대폰 배경 사진이다)

　내 생애 자유의 여신상을 보러 페리를 타는 일은 결코 없을 것이다. 여행 기간 자유의 여신상을 세 번이나 다녀왔다. 뉴욕 여행자라면 자유의 여신상[21] 인증샷은 결코 빠질 수 없다.

　게스트하우스를 세 번 옮기면서 만난 친구들 모두 무조건 자유의 여신상을 가야 했다. 혼자 간 처음을 제외하고 두 번째, 세 번째는 중복된 관광코스였지만 같이 간 친구들이 처음이라 내가 가이드 역할을 했다.

21　뉴욕 리버티섬에 세워진 93.5m의 204t의 엄청난 크기와 무게를 자랑하는 여신상. 가장 미국적 존재이자 온 국민을 아우르는 대표 이민자, 아메리칸 드림의 상징이다.

첫날은 페리가 떠날 때 맨해튼의 마천루 건물들을 언신 휴대폰 카메라에 담느라 정신이 없었다. 두 번째는 페리 중간쯤 가까워지는 자유의 여신상을 물끄러미 바라보았고, 세 번째 갔을 때는 페리 안 세계 각국의 사람들을 구경했었다. 마음의 여유는 심신을 안정시켜 주었다.

무료 페리와 유료 페리가 있는데 난 당시 13달러 유료 페리를 탔다. 지금은 성인 기준 24달러. 유료 페리는 리버티섬에서 내려 박물관을 구경할 수 있다.

자유의 여신상은 파리 에펠탑을 만든 구스타브 에펠이 설계했다. 미국 독립 100주년 기념 선물로 미국으로 운반되어 조립했다고 한다. 어떻게 저렇게 거대한 동상을 옮겼을까 경외감이 들 정도다. 미국의 독립운동이 프랑스 대혁명에 영향을 미쳤으니 양국의 우호 상징이자 고마움의 표시였을 것이다. 페리가 움직이면서 점점 맨해튼과 멀어지며 보이는 빌딩 숲이 장관이었다. 바닷바람과 자외선이 세기 때문에 모자와 목도리, 장갑, 선글라스는 필수다. 다양한 국적의 관광객이 페리에서 사진을 찍느라 정신이 없었다. 처음 갔을때, 옆에 계신 친절한 아주머니가 페리 위 사진을 찍어 주셨다. 그녀는 딸과 같이 왔는데, 나도 딸이 있다면 다음에 같이 오면 얼마나 좋을까 생각했다. 부러운 모녀의 모습이었다.

리버티섬에 내려 자유의 여신상을 뒤로하고 인생샷을 건질 수 있는 곳이 있다. 맨해튼이 보이는 선착장에서 갈매기가 날아가는 모습을 포착한 사진을 찍었다. 내가 봐도 잘 찍어서 내 휴대폰 배경 사진이 됐다.

월 스트리트에서 잊지 말아야 할 것

△ 센추리 21 아웃렛 매장

로드숍보다 훨씬 저렴하다 ▷

뉴욕시 맨해튼 남쪽에 있는 금융가, 월 스트리트에 신전처럼 보이는 뉴욕 증권 거래소가 있다. 시가총액 규모로 세계 1위다. 올리버 스톤 감독의 영화 <월 스트리트>를 보면 숨 가쁜 월가의 모습을 볼 수 있다.

볼링 그린 파크에 있는 황소상을 만지는 걸 잊지 말자! 블로그에 황소상[22]을 만져야 부자가 된다고 글을 썼는데, 그 글을 보고 실제로 다녀온 지인이 있다. 지금쯤 부자가 됐을까?

월드 트레이드 센터 World Trade Center, 1WTC 역에 내리면 9/11테

---

22 황소상의 뿔과 아래를 만져야 한다. 한눈에 보기에도 수많은 사람이 만져서 황금빛으로 바랬다.

러로 희생당한 사람들을 기리는 기념비가 있다. 이 공간은 한때 쌍둥이 빌딩이 자리 잡고 있던 곳으로, 지금은 공허함을 메우는 건축물로 재탄생하였다. 이곳은 떠난 이들의 결코 채울 수 없는 공백을 상징하며, 방문자로 하여금 자연스럽게 경건한 마음을 갖게 한다.

소호에서 트렌드숍을 구경했다면, 다운타운에 있는 센추리 21[23]은 저렴하게 상품을 구매했다. 이곳에 온 이유는 센추리 21에서 쇼핑을 즐기기 위해서다. 여행 막바지 지인들에게 줄 선물을 샀다. 나 또한 이것저것 알뜰살뜰 샀다. 장기여행으로 늘어난 짐을 해결하기 위해 더 큰 사이즈의 트렁크도 샀다. 지금도 사용하고 있다면 튼튼한 놈으로 잘산 것 같다.

실낱같은 희망을 안고 귀국할 결심

가장 힘든 것은 바다 맨 밑에 있을 때야.
왜냐하면 다시 올라와야 할 이유를 찾아야 하거든.

– 영화 <그랑블루>

---

23 뉴욕 센추리 21은 가장 유명한 아웃렛 매장이다. 브랜드 의류, 아이템을 아웃렛 요금으로 판매한다.

사우스 스트리트 시포트 South Street Seaport

월 스트리트에서 조금만 걸어서 내려오면, 바쁜 도심과는 다르게 고즈넉한 항구 마을 사우스 스트리트 시포트가 있다. 흔하게 볼 수 있는 선박들과 미국 성조기. 그곳은 강바람이 아주 세다. 가는 길을 멈추고 근처 가게에서 스카프를 하나 샀다. 5달러로 저렴했다. 나와 같은 이유로 많이 찾던 곳인지 호스트는 능숙하게 손님들을 맞이했다. 시포트 근처는 카페도 많아 커피를 테이크아웃해서 강 쪽으로 걸어갔다. 난간에 기대어 한 손은 커피를 들고 파도 치는 강을 응시하면서 고뇌했다.

한국으로 귀국은 정해져 있고 과연 나는 무엇을 하고 살 것인가였다. 당시 서른 살은 결혼적령기에서 좀 벗어난 나이였다[24].

---

24 2023년 결혼 평균 나이는 남자 30.2세, 여자 28.4세다.

결혼보다 나만이 할 수 있는 일을 하고 싶었다. 어디에 종속되어 회사만 성장하는 곳이 아닌 나도 성장하는 내 일을 하고 싶었다. 전 직장에서 나름 고소득자여서 그 수준에 맞는 직업을 찾고 싶었다. 이왕이면 월 천만 원 이상을 버는 기술직 노동자가 되고 싶었다.

우연히 인터넷 신문을 읽게 됐는데 네일아트, 반영구화장으로 월 천만 원을 버는 사람의 짤막한 인터뷰 기사였다. 기술을 배워야겠다! 미용기술로도 월 천만 원 이상 받는구나, 부러운 마음과 단단한 결심을 하게 됐다. 불안할수록 뇌가 더 활성화된다는 연구결과가 있다고 한다. 월 천을 받고 전문가로 성장하는 내 모습이 저 멀리 태평양 바다를 보며 떠오르기 시작했다. 긍정 회로가 솟구쳤다. 내 머릿속 키워드는 #월천 #성공이었다. 이 길이 맞는지 안 맞는지도 시도를 하지 못했기에 알려줄 선배도 없어서 목표만 가지고 귀국길에 올랐다.

그리고 험난한 미용의 세계에 발을 디디게 되었다.
만만히 보지 않았지만 엄청난 내공이 필요했다. 이 직업 또한 여행사업 실패를 계기로 다시 한번 직업을 바꾸게 되었다.

여전히 내 삶 속에서 숨 쉬는 뉴욕

여행을 마치고 돌아와서 곤란한 점은 다시는 그와 같은 경험을 절대 할 수 없다는 것이다.

- 마이클 폴린

In New York,

뉴욕에선,

Concrete jungle where dreams are made of,

꿈들로 이루어진 콘크리트 정글

There's nothing you can't do,

이곳에서 당신이 해낼 수 없는 건 없어요.

Now you're in New York,

당신이 뉴욕에 있으니까요.

저녁을 먹을 시간이 한참 지날 만큼 어둑해진 밤, 선릉역으로 향하는 골목에서 한 남자가 나에게 묻는다.
"(부끄러운 듯) 저···. 혹시···."
가던 길을 멈춘 난
"(어서 빨리 말을 해)···. 네?!"
이내 용기를 낸 남자는
"아까 그 노래 제목이 뭐죠?"
제이 지와 앨리샤 키스가 부른 <Empire State Of Mind>는 수년째 나의 휴대폰 벨소리다.

번아웃이 왔다고 생각되는 순간, 삶을 이어나가게 하는 것은 돈이나 명예 같은 물질적인 것들이 아니다. 희망이다. 작가 세스 고딘은 희망이 없다면 우리는 시들어 결국 말라 죽는다고 한다. 미래에 대한 희망이 없다면 현재 살아갈 의미를 잃는다는 것이다.

"If I can make it there, I'll make it anywhere (뉴욕에서 성공할 수 있다면, 전 세계 어디에서든 통할 테니까요)"라고 프랭크 시나트라는 나에게 속삭인다. 이 노래는 나에게 무엇이든 가능하다는 믿음을 심어주는 만트라가 되었다.

세계 각지에서 희망을 품고 뉴욕으로 달려온 이들이 많았을 것이다. 나는 뉴욕에서 살지는 않지만, 뉴욕에서 내 꿈을 실현하기 위해 새로운 시작을 하겠다는 결심을 했었다. 흔들리지 않는 자신감과 끊임없는 야망의 불을 지펴주었다.

에필로그

아지랑이가 피어오르는 초여름 어느 날, 강남 테헤란로를 운전하고 잠시 정차할 때가 있었다. 경사가 있는 도로였는데, 양옆에 높은 건물이 쫙 펼쳐진 모습은 그야말로 장관이었다. 마치 뉴욕 맨해튼의 곧게 뻗은 빌딩 숲 사이를 보는 듯했다. 작고 좁은 창문과 통유리로 된 건물이 맨해튼 5번가를 연상시켰다. 한국의 테헤란로가 바로 맨해튼이라니! 정말 신기한 광경이었다.

얼마 전 친구가 미국출장길에 뉴욕에서 산 컵을 선물해줬다. I♥NY가 새겨진 머그잔이다. 물어보지 않아도 기념품숍에서 산 컵이 틀림없다. 가격은 약 8달러. 머그잔 하나로 그곳의 공기를 느낄 수 있으니 난 진정으로 뉴욕에 홀릭했다고 볼 수 있다. TV나 유튜브를 틀어도 영화나 드라마 배경이 뉴욕 맨해튼이다. 작년에 본 스릴러 미드 <너의 모든 것>은 집착의 끝을 보여주는 사이코패스 남자를 그린 드라마로 시즌3까지 나왔다. 시즌1이 바로 뉴욕을 배경을 하고 있다. 드라마도 재밌었지만, 그 뒤의 뉴욕 명소들을 더 집중해서 봤던 것 같다. 누구나 잊지 못할 장소가 있을 것이다. 그곳을 다니고, 누비고, 함께 한 일상을 한 줄 일기나 수필을 남기는 건 정말 매력적인 작업이라고 생각한다. 내가 본 세상을 말로 설명하는 것보다 글자로 보여주면서 상상하게 하는 것, 그 여행을 통해 힐링과 앞으로의 미래를 그려봤다면 더할 나위 없이 좋은 경험이다.

뉴욕의 거리를 걷는 동안, 과거, 현재 내 삶을 되돌아봤다.

나의 행복과 꿈을 위해 나아가는 것이 결코 이기적인 행동이 아니라는 것을. 내가 진정으로 원하는 것을 찾기 위해, 누구의 허락도 필요하지 않았다. 뉴욕의 빌딩 숲속에서, 내 안의 목소리에 귀를 기울였다. 그리고 목소리는 말했다, "네가 진정으로 원하는 삶을 살아라!"

타인의 기대나 사회적 압박에 휩쓸리지 않고, 나만의 길을 걷기로 결심했다. 비록 남들이 이해하지 못할지라도, 나의 길을 걸어가기로 했다. 그 길이 어디로 이끄는지 모르지만, 그 여정 자체가 중요하다는 것을 알고 있다. 나의 꿈을 향해 나아갈 것이며, 그 과정에서 진정한 나를 발견할 것이다.

그래서 이제, 여러분에게 묻고 싶다. "당신의 꿈은 무엇입니까? 당신은 그 꿈을 향해 어떻게 나아가고 있습니까?" 이 에세이가 당신에게 작은 용기를 줄 수 있다면, 그것만으로도 기쁠 것이다. 우리 모두 각자의 여정이 있으며, 그 여정 속에서 우리는 진정한 자신을 찾을 수 있다. 자신을 찾아 용기 있게 길을 떠나고 결국 자신에게 도달한 사람만이 누리는 희열을 나는 기억하고 있다. 앞으로도 혼자서든, 누군가와 함께든, 다시 여행을 떠날 것이다.

매년 부산국제영화제를 찾을 정도로 한때 영화광이었다. 사랑스러운 작품에는 한없이 찬양의 글을 남기고, 반대인 경우는 신랄하게 비평했다. 그만큼 예민하고 디테일한 구석이 있으니 내 글에 언급되는 영화와 문학 작품은 혹시 모를 간접체험이 필요한 독자를 위해 소개했다. 좋은 길잡이가 됐으면 좋겠다.

감사의 말

이 글을 쓰기 전, '글쓰기는 전업자만 하는 걸 거야, 직장인이 어떻게 글을 써, 쓸 시간이 있겠어?'라고 나 스스로 고정마인드 셋을 가지고 있었다. 직장인도 얼마든지 쓸 수 있고, 할 수 있다는 걸 몸소 체험했다.

출퇴근 시간 틈틈이 소재 찾기와 자료 수집이 이 글은 완성하는데 기초적인 역할을 하였다. 스스로 이런 루틴을 만들게 해준 나의 롤모델 김미경 강사님께 감사함을 느낀다. 비록 온라인이지만 2022년 미라클모닝을 실천할 수 있게 이끌어주셨고, 뼈가 되고 살이 되는 인생 조언도 많이 남겨주셨다. 정말 감사하다.

'미뤄왔던 씀'에서 '해냄'으로 이끌어주신 이창현 대표님께 감사함을 전하고 싶다. 분량 초과라고 징징댔던 나에게 일단 모든 에피소드를 다 써보고, 괜찮은 것만 추려 보자고 해답을 주셔서 안심하고 써 내려갔던 것 같다. 프로젝트에 참여한 멤버들과 두려웠던 글쓰기에 용기를 주신 박정원 작가님께도 감사하다. 내가 하는 일에 항상 응원해준 가족들에게도 감사하다. 가끔 뒤도 안 돌아보고 돈키호테처럼 앞만 보고 달리는 내게, 잠시 브레이크를 걸어주는 20년 지기 대마도 호담 게스트하우스 사장님에게도 감사의 마음을 전한다. 그리고 뉴욕에서 좋은 추억을 남겨준 나의 키아누 리브스 KJ에게 감사하다. 여전히 멋진 모습으로 살아가길 바란다. 뉴욕에 감사의 빚을 지고 있다. 나의 희망과 가능성의 등대가 되어준 뉴욕에 감사드린다!

김엔냐   209

영화와 여행이 내 인생에서 1순위다. 여행을 통해 보고 느끼고 배운 것을 여러분에게 전달할 수 있어서 영광이다. 이 모든 것을 가능하게 해주신 하나님께 감사드린다.

아버지의 인생

금이

1

창이는 말한다.

어수선한 시대, 일본 식민지의 끝자락인 1938년 창이는 집안의 종손으로 태어났다. 삼촌들 틈바구니에서 그는 그저 천덕꾸러기 아이일 뿐이다. 창이가 7살 되던 해에 우리나라는 해방을 맞이했다.

나라는 해방이 되었지만, 그는 어머니를 잃었다. 7살이 되도록 어머니를 제대로 불러보지 못했다. 할머니가 부르지 못하게 했다. 아버지와 어머니가 함께 있는 것을 보지 못했다. 그렇게 창이는 할머니의 손에서 자라났다.

초등학교를 졸업하고 중학교 진학을 부산 동아중학교에 입학했다. 혼자서 살기가 어려웠던 그는 경찰관이었던 삼촌과 함께 지내게 되었다. 낯선 객지 생활이 만만치 않았고 정이 그리웠다. 1학년을 마치고 할머니가 보고 싶어 고향인 의령으로 내려왔다. 고향에 대한 향수와 할머니에 대한 그리움을 이기지 못하고 중학교 공부를 그만두게 되었다.

시골에서 할머니와 함께 지내는 시간은 빠르게 흘러갔다. 그때쯤 창이의 아버지는 창이보다 여섯 살 많은 여자를 아내로 맞이했다. 얼마 지나지 않아 새어머니는 나이 차이가 많은 여동생

아버지의 인생

을 낳았다.

　몇 년 후 창이는 21살이 되던 해에 한 살 어린 여자와 선을 보고 장가를 들었다. 여자 쪽 집안에서는 갓을 쓴 창이를 보고 인물이 훤하다고 했다. 결혼식이라는 것도 거창하지 않았다. 양쪽 집안의 인사 정도로 끝난 결혼식이었다. 그렇게 식이 끝나고 얼마 지나지 않아 창이는 입대했다.

　군대 생활도 만만치 않았다. 처음의 군대 생활은 매를 맞는 거로 시작되었지만 창이의 옹골진 성격상 당하고 있지 않았다. 자기를 때린 선임을 맞은 만큼 패주고 나니 돌아온 것은 걷지 못할 정도의 매타작이었다. 그렇게 쫓겨난 곳이 물품 창고였다.
　제대 후 사는 게 힘들었던 창이는 생각했다. '그때 생각을 약간만 틀걸, 그럼 돈 걱정은 안 하고 살 텐데.' 제대하고 집에 돌아오니 꼬물거리는 여동생이 한 명 더 있었다. 새어머니와의 동거는 그렇게 시작되었다. 아내는 새어머니와 할머니의 시집살이를 했다. 중간에서 창이는 해줄 게 없었다. 할머니는 아내에게 집안일과 밭일을 시켰지만, 새어머니는 어른이라고 아무것도 하지 않았다. 모든 일은 아내와 나의 일이었다.

　제대를 하고 1년이 조금 넘어 아버지는 세상을 등지고 떠나셨다. 남은 가족은 창이의 몫이었다. 표면적으로는 할머니, 여섯 살 많은 새어머니, 아내, 그리고 태어나지도 않은 아이와 네 분의 삼촌과 다섯 분의 숙모가 더 있었다. 그 많은 사람을 책임지려고 하니 앞이 깜깜했다. 농사만으로는 살아가기가 빠듯했다. 한

해에 제사가 12번 거기다 명절 두 번, 그때의 제사는 동네잔치였다. 음식을 많이 해서 집집마다 나눠 먹는 시대였으니 엄청난 비용이 들었고 한 달 내내 창이와 아내는 제사 준비를 해야 했다. 거기다 아버지의 갑작스러운 사망으로 충격을 받으신 할머니는 눈이 안 보이기 시작했다. 그런 할머니가 밥때가 늦어지면 밥상이 문밖으로 날아갔다. 아무 말 못 하고 밥상을 3번이나 차리는 아내를 바라만 보았다.

공부를 했어야 했다. 후회되었다. 할머니가 원망스러웠다. 다시 돌려보내 공부를 마칠 수 있게 해줬으면 하는 마음이었다. '그럼 이렇게 농사에 매달려 전전긍긍하지 않아도 되지 않았을까? 매달 돈이 나오는 일을 찾았을지도 모르는 일이잖아. 그럼 빠듯한 살림살이가 나아졌을까?'

그러던 어느 장날 새어머니는 말없이 사라져버렸다. 온다간다 말 한마디 없이 두 딸을 두고 친정으로 가버렸다. 여동생이 찾아갔을 때는 벌써 새로운 보금자리를 찾아서 떠난 후였다. 오롯이 나의 몫이었다.

아내는 장날마다 새어머니가 쌀이며 콩이며 들고 나가서 돈으로 바꿨다고 했다. 떠날 준비를 하고 있었다. 창이와 아내도 알고 있으면서 모른 척했을 뿐이다.

60~70년대 가족계획이 한창이었다. 창이는 어려서부터 너무 외로웠다. 사촌 형제들은 어렸다. 그들은 창이의 외로움을 달래줄 수 없었다. 보건소에서 그렇게 동참을 요구했지만 창이는 참

여하지 않았다. 자식들에게는 외로움을 물려주지 않을 거라는 생각이었다.

그렇게 창이는 아들 셋, 딸 셋을 둔 가장이 되었고 두 여동생을 둔 오빠가 되었다. 큰딸과 둘째 동생 나이가 3살 차이였다. 뭔가를 해주고 싶어도 할머니의 눈치가 보였고 실제로 옷을 한 벌 맞춰 입혔는데 그 옷이 사라져버렸다. 시간이 흐른 뒤에 찾은 옷은 쥐가 다 뜯어 먹은 후였다.

배우지 못한 한이 있었기에 자식들이 그 한을 풀어주기를 원했다. 자식들이 학교도 들어가기 전에 한글과 구구단을 하나하나 알려주었다. 그게 부모로서 해줘야 하는 줄 알았다. 그게 자식들을 망치는 길임을 알지 못했다. 아버지의 관심도 어머니의 사랑도 받지 못한 창이는 어떻게 자식들을 키워야 하는지 몰랐다. 그저 내 방식대로 회초리를 들어가며, "눈이 있으면 뭐하노. 그것도 못 따라 하고" "머리가 닭 대가리가" 모진 말을 퍼부었다.

어느 해 2월 할머니가 세상을 떠났다. 앞이 안 보이는 할머니의 수발은 힘들었다. 그런 할머니를 숙모들은 나 몰라라 했지만 아내는 말 한마디 없이 수발을 들었다. 할머니의 기세는 꺾이지 않았고 삼촌들을 좌지우지했지만 숙모들에게는 아무런 것도 말하지도 요구하지도 않았다. 당연히 종손인 창이와 아내가 해야 할 몫이라 생각했다. 그때가 1973년 막내가 태어나고 한 달이 되기 전이었다. 삼촌들의 바람으로 삼년상을 했다. 아침저녁으로 곡을 하며 상을 차렸다. 3년을 끝내고 나니 자식들은 더 자라있었고 형편은 더 힘들어졌다.

동생이 고등학교를 보내주지 않는다고 매일 눈물 바람으로 등교를 했다. 숙모들은 동생은 공부 안 시키고 딸만 공부시킨다고 대 놓고 말을 했다. 아직 창이의 딸은 동생보다 어리고 어떻게 될지도 모르는데 마음이 복잡했다. 하루도 편할 날이 없었다.

일찍 철이 든 딸은 그 말이 듣기 싫었는지 "고등학교 안 가도 되니까 고모 고등학교 보내주세요" 그 말을 들은 첫째 동생은 중학교 졸업한 동생의 짐을 싸서 서울로 찾아갔다. 새어머니에게 말했다고 했다. "엄마 자식을 왜 오빠더러 책임지라고 하는데" 그 길로 동생의 서울살이가 시작되었다. 그렇게 동생과는 이별 아닌 이별을 하게 되었다. 창이는 그게 미안해서 가을이면 쌀과 양념을 보내는 것으로 미안함을 덜어보려고 노력을 했다.

동생을 서울로 보내어도 딸은 고등학교 진학을 하지 못했다. 숙모들의 원성이 자자했다. 창이는 항상 딸에게는 미안한 마음이 있다. 딸은 다른 친구들이 고등학교 3년을 마칠 때까지 부산으로 가서 공장을 다녔다. 마땅히 있을 곳이 없어 친척 집 다락방을 전전하다가 공장에서 사귄 친구들과 작은방을 얻어 살게 되었다. 그렇게 3년을 벌어 고향인 집으로 돌아왔다. 그때 모아온 돈으로 도로 옆에 있는 논 300평을 샀다.

"그 논을 어떤 돈으로 산 건데" 그걸 창이가 하루아침에 다 날렸다. 삼촌이 정치 바람이 불어서 국회의원 출마를 했다. 그것도 깡촌에서 야당으로 출마를 했으니 쉽지 않은 길이었다. 당연히 낙선을 했다. 그 시절 창이는 마을 이장을 했고 비료 대금을 농협에 지불 했지만, 선거에 따라 다닌다고 정신이 없어 영수증을 챙기지 못했다. 그 영수증을 직원이 챙겼고 대금 납부가 안 된 거로 되어있었다. 그렇게 피 같은 논을 팔아야 했다.

앞이 보이지 않았다. 창이에게는 육 남매가 있었다. 아직도 들어가야 할 돈이 많았다. 그러던 중 신문에서 숙직 소사를 두게 된다는 정보를 보게 되었다.

2

그런 창이가 나의 아버지가 되어서

아버지는 항상 열정적이었다.

어릴 적 언니와의 기억은 가물거렸다. 항상 오빠 둘과 남동생 속에서 차별 아닌 차별을 받고 자랐다. 오빠들은 아버지의 희망이고 꿈이었다. 아들 셋을 두고 한 명은 장군으로 한 명은 판검사로 한 명은 의사로 키우겠다는 커다란 포부를 가지고 있었다. 농사만으로는 자식들을 키울 수 없었다.

어느 날 신문에서 학교에 야간 소사를 두겠다는 소식을 접하고 당장 학교로 가서 이런 것이 있던데 여기서도 구하게 되면 꼭 연락을 달라고 했다. 그렇게 몇 달이 지나고 나서 아버지는 학교 소사로 취직을 하게 되었다. 낮에는 농사일을 저녁에는 학교에서 당직을 섰다.

그때의 나는 초등학교 3학년을 올라가는 시점이었다.

처음에는 "아버지가 학교에 있네. 다른 친구들은 없는데" 우쭐거리는 마음이 있었다. 그것도 잠시 학교에서의 아버지의 위치를 깨달았다.

그때부터 아버지가 부끄러웠다. 다른 친구들의 아버지는 쫙 빼입고 학교 행사에 오는데 아버지는 그 사람들을 위해 노동을 했다. 나뭇가지를 치고 청소 등 허드렛일을 마다하지 않았다. 저녁에만 하면 된다고 했는데 행사가 있으면 낮에도 일해야만 했다. 그러면 한 번씩 내가 있는 교실을 들여 다 보았다. 나는 그게 너무 싫었다. 아버지를 부르는 호칭은 "곽 주사"였다.
어린 나이였지만 나도 모르게 위축되어있었다. '친구들이 나를 어떻게 볼까.' '선생님은 나를 어떻게 생각할까.' 이런 생각이 들면서 나서서 하는 것은 모두 멀리했다. 열등감이 생기기 시작한 시기였다. 그렇게 나는 무엇이든 양보해야 했고, 하고 싶어도 참아야 하는 아이로 자랐다.

운동회 준비를 한참하고 있을 때였다. 아버지는 교문까지 걸어가는 길에 사철나무 전지를 하고 있었다. 친구 한 명이 "그렇게 양반 행세를 하더니 학교 종노릇 하네" 그 말을 듣고도 나는 아무런 말 한마디 하지 못했다.

그렇게 초등학교를 졸업하게 되었다. 그 친구들이 그대로 중학교에 같이 가게 되는 시골이다 보니 자존감은 올라가지를 못했다. 항상 주눅이 든 상태로 학교생활을 했고 친구들이랑 하는 놀이에도 자주 제외되었다. 아버지를 아는 친구들은 나랑 같이 어울리는 것을 달갑지 않게 생각하였다. 그 시기에 아버지의 직업을 '종'이라는 말을 했었다. 경찰을 하셨던 할아버지 역시 아버지를 달가워하시지 않았다. "왜 쓸데없는 짓을 하는지"하며 혀를 찼었다.

그때 학교에서 한해 선배의 아버지가 나의 아버지랑 같은 직업을 가지고 있었다. 그 선배는 소사를 하는 아버지를 당당하게 이야기했고 뭐든 열심히 했다. '나는 왜 저렇게 못 하지' '저렇게 당당하지' 하면서 부러워만 했고 변화하려고 노력조차도 하지 않았다. 그만큼 나는 바닥을 치는 학교 생활을 했다.

그래도 아버지는 꿋꿋이 하시는 일을 잘 해내셨다. 아버지는 그때를 회상하며 "내가 없어서 자식들이 원하는 걸 못할까 봐 겁이 났다"라고 했다. 남들이 뭐라고 해도 나한테 돈 한 푼 거 저줄 사람들 아니니까 그냥 흘려 넘겼다고 했다.

자식들은 부모가 원하는 대로 자라지 않음을 아버지도 알게 되셨나 보다. 나와 남동생은 공부하라는 말씀을 한 번도 하시지 않았다. 그럭저럭 나오는 성적을 보며 어디 한군데는 가겠지 하고 생각을 한 모양이었다. 내가 고등학교를 진학할 때는 연합고사 시절이었다. 도시에 나가고 싶었으면 노력을 더 열심히 해서 탈출을 해야 했는데 나는 그런 자존감도 없었기에 도시의 인문계

고등힉교에 입학하지 못했고 그다음 해에 읍에 있는 고등학교에 입학하게 되었다.

초등학교부터 같이 한 친구들이 없어 마음은 조금 편했던 것 같았다. 친구들도 사귀게 되었다. 조금씩 웃음도 웃을 수 있었다. 어느 날 서무실에서 연락이 왔다. 회비를 내지 않았다며 집에 가서 부모님께 말씀드리라고 했다. 그날 학교를 마치고 공중전화기를 들고 언니에게 전화해서 정작 할 말은 하지 못하고 울었던 기억이 난다. 그때 무슨 마음으로 전화를 해서 울었을까? 큰언니는 말단 공무원이랑 결혼해서 분가했고 작은 언니는 야간대학을 다니는 상태였고 오빠들도 대학을 다니고 있었다. 나와 동생은 고등학생이었다.

아버지는 이 난간을 어떻게 헤쳐나가야 할지 막막했을 것이다. 고등학교까지는 학자금이 나왔지만 나에게 떨어지는 것은 없었다. 그 많은 자식을 차례로 해결하다 보면 항상 나는 뒷전이었다. 내가 항상 회비를 늦게 내고 학교에 다녔다는 것을 형제들은 아무도 몰랐다. 아버지는 알면서도 어쩔 수 없었다. 가부장적인 아버지는 아들이 먼저였다. 실제적으로도 대학 등록금이 먼저이기도 했다.

아버지는 처음에는 초등학교에서 근무를 시작했지만, 세월이 흘러 학생 수가 줄어들다 보니 중학교에서 그 일을 계속하셨다.
나는 여고 시절도 망쳐버렸다. 친구들은 회비를 늦게 냈는지도 몰랐을 것이다. 스스로 주눅이 들어 무덤을 파고 들어가 버렸다. 그렇게 있는 듯 없는 듯 학교를 졸업했고 물론 대학진학도 하지 못했다.

억척스럽게 돈을 벌었다. 100을 벌면 100을 저축했다. 그렇게 나의 20대는 아버지에 대한 반발이 심했다. 그런데도 아버지가 안쓰러웠던 마음이 들었는지 여름이면 좋아하는 복숭아를 겨울이면 사과를 계절마다 사다 드렸다. "막내 덕분에 과일이 안 떨어진다." 한 번씩 불뚝 성질이 튀어나와 아버지에게 대들기도 했다. 내가 "왜?" 이런 마음이 있었다.

그때 언니네 집에서 살았는데 형부의 눈치가 많이 보여 언니에게도 정말 미안했다. 어느 날 형부가 한잔하고 들어왔다. 내가 사준 무선전화기를 집어 던져 유리문을 다 깨어버린 일이 일어났다. 조카들과 함께 사용하는 방문도 박살이 나버렸다. 그때 나는 다리를 다쳐 회사에 병가를 내고 깁스를 하고 있었을 때였다. 언니랑 많이 울었다. 언니는 언니대로 부족하다는 생각이 넘쳐났고 나는 나대로 형부가 언니를 무시한다는 생각에 입이 튀어나와 있었다.
그때 "언니야 학교 가자. 졸업장이 있어야 형부가 무시를 안하지" 어린 마음에 그렇게 말을 했다. 그게 언니에게는 상처가 되는 말인 줄 몰랐다. "언니는 괜찮다. 공부하려고 했으면 공장 다닐 때 했어야지. 미련 없다" 언니가 나로 인해 형부에게 무시당하면 안 되겠다는 생각이 들었다. 며칠 뒤 아버지께 전화했다.
"아버지 너무 힘들어요."
"집으로 오너라 고생했다"

바로 회시에 사직서를 제출했다. 이렇게 나의 객지 생활은 끝이 났다.

아버지는 다 알고 있다는 듯이 한마디도 묻지 않았다.

어쩌다 보니 읍내에 일자리가 생겨 다니기 시작했다. 이 시간이 학창시절보다 아버지를 더 많이 알게 된 것 같다. 어릴 때는 같이 밥을 먹은 기억도 없이 학교로 들로 다니셨다. 이 시기에도 여전히 똑같은 일은 하고 계셨지만, 마음의 여유가 생겼는지 돈 들어갈 때가 사라져 그런 것인지 나들이도 가고 밥도 같이 먹게 되었다. 콩국수와 냉면을 좋아하고 무전여행을 떠나고 싶은, 그림을 잘 그리며 손재주가 많은 아버지를 알아가게 되었다.

읍으로 나가는 버스 시간이 어중간해서 출퇴근이 문제가 되었다. 운전면허증을 취득하기로 했다. 아버지는 "운동신경 없는 네가 하것나"

"그래도 한번 해보는 거지" 그렇게 한번 떨어지고 면허취득을 했더니 나보다 더 좋아해 줬다. 제사장을 볼 때도 함께 가고 바람 쐬러 가자고 하면서 나를 부려 먹었다. 그러면서 "내 소원은 마루 벽에 육 남매 대학 졸업사진을 걸어두는 거였다." 그때의 시골에서는 마루 벽에 돌 사진부터 한 아이의 성장 과정을 그대로 옮겨 놓곤 했다. 학사모를 쓴 사진은 부모의 자랑거리가 되었다. '어떡하지 큰언니랑 나만 사진이 없네.' 다시 공부해야 하나 고민하기 시작하였고 그 결과 전문대 등록금고지서가 왔다. 그 등록금을 아버지가 내어주겠다고 했다. 고민하다가 포기를 하고 내가 결혼을 한다고 했더니 엄청 서운하게 말했다. "나이가 몇인데 벌써 가려고 하노.” 좀 더 있다가 하면 좋겠다고 했다. 큰 언니는 스물 다섯 올라가는 해에 시키고 작은언니는 노처녀가 되어도 안 간다고 구박해놓고 나는 적당한 선에서 하겠다고 했는데 뭐가 불만인지 몰랐다. 엄마가 “아버지가 막내딸 보내기 싫어서 그런 거 아니가.” 말씀하시면서 좀 더 공부했으면 하는 이유도 있지 않을까 했다. 한 명이라도 더 아버지의 소원이 이루어졌으면 하는 바람이었다.

그렇게 우여곡절 끝에 함께 결혼식을 걸어 들어갔다. 아버지의 걸음이 앞으로 나아가지 않았다. 정말 천천히 한발 한발 내디뎠다. 나도 모르게 쳐다보았다. 고개를 돌리면서 웃어주었다. 왈칵 눈물이 흘렀다. 아버지의 마음을 그때 알았다. 아버지의 소원보다는 정말로 내가 원하는 삶을 살면서 힘들게 살지 않았으면 하는 마음이었다. 아버지는 “일복 많은 우리 막내딸이 시집을 갔는데도 여전하네”

아버지도 하고 싶은 것을 하기 위해 퇴직 후 육십이 넘어 운전면허증을 손에 쥐었다. 친구분과 함께 면허를 따기 위해 연습을 했는데 그 친구분은 중도에 포기했고 아버지는 ‘칠전팔기’가 이런 것이다며 해내셨다. 무전여행은 아니지만, 어머니와 함께 가고 싶은 곳을 가고 먹고 싶은 걸 먹으러 다니셨다. 글씨를 쓰고 싶었는지 노인대학을 다니며 붓글씨도 하셨다. “나는 글이 왜 이리 뻰이 안나노”하시면서도 얼굴에는 미소가 가득했다. 아버지가 그렇게 하고 싶은 것을 하실 때 나도 둘째 아이를 출산하고 방송대를 입학했다. 그렇게 4년이 지난 후 졸업장과 졸업사진을 아버지께 보내주었다. 보여주기 위해 찍은 사진이었다. 그때 아버지는 "고맙다" 딱 한 마디였다.

표가 날 듯 말 듯 남아선호사상이 물들어 있는 분이시다. 얼마 되지도 않는 땅이지만 딸들 모르게 아들 셋에게 상속을 다 해주셨다. 그러면서도 필요한 것 있으시면 "게이트볼장에 가니까 소나무 그려진 티를 입고 왔더라." "미색 바지가 필요한데." "딸이 사준 신발이 딱 맘에 들더라." 등으로 세뇌를 시켰다. 오죽하면 며느리가 "아버님은 재산은 아들에게 주고 필요한 건 형님들한테 해달라고 하시네요." 들은 척도 하지 않는 조금은 얄미운 아버지였다.

어느 해 추석 세 딸과 큰아들과 함께 강천산을 갔다. 항상 부모님은 같이 했다. 그날은 사진도 떨어져 찍고 밥도 같은 자리에서 드시지 않았다. 그렇게 여행이라고는 짧은 나들이를 다녀온 다음 날 엄마는 아버지가 운전하는 차에 받혔다. 그렇게 일어나지 못하고 제대로 된 인사도 없이 떠나버렸다.

그 이후의 아버지 삶은 나락으로 떨어졌다. 할머니에 이어 엄마를 의지하고 살았는데 한순간에 사라져버렸다. 그것도 아버지의 잘못으로 그렇게 보내버렸다. 보고 있는 육 남매도 그렇지만 본인이 제일 힘들었겠지. 낮에는 바깥으로 다니니 괜찮은데 밤이 되면 적막강산이 따로 없다며 하소연을 했다.
아버지를 혼자 그렇게 둘 수가 없었다. 그래서 남편과 의논

끝에 주택으로 이사를 하게 되었다. "아버지 같이 삽시다" 했더니 "내가 해준 것도 없는데 딸 집에는 안 간다." 그렇게 몇 개월을 시골에서 생활하셨고 육 남매는 매주 당번을 정해 아버지를 챙겼다.

그러던 어느 날 속이 안 좋다고 해서 검사를 했더니 위암 3기 판정을 받았다. 약간의 죄책감이 들었다. 소화가 안 된다는 걸 그냥 흘려들었다. 그 순간 아버지는 무슨 생각을 했을까? 수술하셨지만 아버지의 상태는 좋아지지 않았다. 여전히 드시는 건 힘들어하셨다. 또다시 병원을 들락날락하셨다. 아버지를 집으로 모시고 왔다.

가시기 전 한 달 아버지랑 함께했다. "내년 봄에는 이 길을 걸을 수 있을까?" 길가에 풀 한 포기를 보면서 말했다. 돌멩이 하나에도 의미를 부여했다. 살아온 이야기도 해주고 "너희 육 남매를 키울 때 등허리에 콩이 튀었다. 그때가 제일 행복했다."고 말하면서 나를 쳐다보았다.

아버지가 어떤 마음으로 살아왔는지 가끔 지나가는 말로 한마디씩 던졌다.

할머니를 왜 엄마라고 부르지 못했는지 증조할머니가 왜 그렇게 할머니를 미워했는지 모르겠다고 말했다. 또 "할머니는 증조할머니에게 쫓겨나서 물에 빠져 죽었다."고 했다. 아버지가 할머니에게 "엄마"라고 부르면 증조할머니는 화를 내며 할머니를 더 많이 괴롭혔고 밥도 못 먹게 했단다.

그렇게 상처가 많은 아버지를 나는 부끄러워했다. 아등바등 자식들 뒷바라지에 온 힘을 다해 노력했지만, 그 누구도 노고에 감사하다는 말 한마디 하지 않았다. 항상 해준 게 뭐가 있냐고 징 징거리고 야단만 치는 아버지라고 불평불만 했는데 그때가 좋았 다고 말했다. 나도 모르게 눈이 빨개지고 명치끝이 아팠다.

거제도로 육 남매 모두와 함께 여행을 갔다. 아버지가 힘들어 하시니 많은 곳을 다니지는 못했다. 포로수용소 구경을 하고 숙 소에서 이런저런 이야기 중에 한명 한명 추억들을 풀어냈다. 그 것들이 모두 불평불만이었다. 자연스럽게 그렇게 되었다. 아버지 는 말했다. 너희들은 차별했다고 말하지만 내 나름대로 한 명 한 명에게 최선을 다했다. 그때의 사정에 따라 책가방이 보자기가 되고 운동화가 고무신이 되기도 한 것이지 차별을 해서 그런 게 아니다. 내가 물었다

"그럼 아버지는 나에게는 학원비까지 다 받아 챙겼는데요. 언니, 오빠들에게 들어간 돈은 달라고 하지 않고 나에게는 그걸 다 달라고 했을까요?"

"다른 자식들은 달라고 해도 안 주는데 우리 막내는 주니까." 그래서 억울했냐고 물었다.

억울했냐고, 글쎄 그때는 어떤 마음인지 몰랐지만, 시간이 흐를수록 억울했었다. 오빠와 남동생들에게 해주는 것을 보고 서 운한 마음이 들었지만, 지금은 괜찮다고 내가 줄 수 있는 딸이라 좋다고 말해주었다.

그렇게 추억의 시간은 끝이 났다. 새벽녘 검은 피를 토하는

아버지를 모시고 병원 응급실로 향했다. 치료할 것이 없다고 하셨다. 요양병원을 권하셨다. 그렇게 요양병원에서의 이틀을 보내고 호스 피스 병동으로 들어가게 되었다. 24시간 형제들이 돌아가며 15일을 함께했다.

돌아가시기 전날 아버지는 내 손을 잡고 놓아주지를 않았다. 어디서 그런 힘이 나오는지 꽉 잡은 손을 쓰다듬으며 "아버지 낼 아침에 올게요" 한참 동안 힘을 주고 있던 손이 스르르 떨어졌다. 아버지도 마지막인 줄 아셨나 보다.

아침 출근 중 아버지가 위독하다는 연락을 받았다. 그날은 눈이 많이 왔다. 부산에서는 눈이 오면 도로가 주차장이 되어버린다. 익숙하지 않기에 내가 어떻게 할 수 있는 게 아니다. 가면서 입대를 해야 하는 큰아들 안경을 맞추고 병원 주차장에 들어서는데 "아버지 가셨다" 큰딸과 막내아들이 보는 앞에서 편히 눈을 감으셨다고 했다. 삼일장을 하는 동안 날씨가 그렇게 추울 수가 없었다. 바람도 많이 불었다. 엄마 옆에 모시는데 그곳만 햇볕이 눈이 부시게 들어왔다. 이상하게 눈물이 나오지 않았다. 따뜻한 곳으로 가셨나보다 스스로 위로를 해보았다.

그렇게 아버지를 보내고 집에 모여 아버지 유품을 정리하게 되었다. 자식들이 받은 상장과 통지표, 오래된 흑백사진 그리고 공책 한 권이 나왔다. 공책에는 메모가 적혀있었다. 아버지가 가계부를 기록하는 것은 알고 있었지만 우리들의 이야기가 있는 건 몰랐다. 3월 7일 감기에 걸림, 곽필남 생활비 이만 원, 막내 자전거를 산 이야기 등을 보면서 울고 웃고 했다. "형님 철수 아빠가 제일 많이 가지고 갔다고 했는데 아니네요" 올케언니가 말했다. 항상 오빠가 부모님 노후 자금까지 가지고 갔다고 형제들은 불만이었다. 그때 "엄마가 이야기해줬는데 아들 셋 본인들 몫을 다 가지고 갔다고" "안 보태준 자식은 우리 막내딸만이다"라고 말했다고 언니가 들려줬다. 몰랐다. 부모에게 손을 벌리면 안 되는 줄 알았다. 그래 한 명이라도 손 벌리지 않은 자식이 있으니 된 거다. 그 정도로 엉망이 아니라 다행이다.

한동안 아버지와 함께한 대천천길을 나갈 수가 없었다. 그 길을 나서면 자꾸 생각났다. 지금은 생각나는 대로 그냥 둔다. 민들레꽃을 보면 "아버지가 못 보고 가신 꽃을 제가 보고 있네요." "그때의 작은 돌멩이는 어디로 갔는지 보이지 않네." 하면서 그 길을 거닐어 보기도 한다.

아버지가 마지막으로 손을 잡고 전한 마음이 무엇인지 알 것 같다. 형제자매들 우애 있게, 외롭지 않게 지내라는 마음이지 않았을까. 아버지의 말 없는 바람을 지키려고 무던히 노력한다. 생일이 되면 형제들이 모여 함께 밥을 먹고 수다 삼매경에 빠져든다. 휴가철이면 369게임을 하며 너무 웃어 눈물이 날 정도다. 이제는 말한다. "아버지 저 잘하고 있지요." 조금은 삐거덕거리는 부분도 있지만, 부모님을 소환하며 오순도순 형제들이 모이는 시간을 많이 만드는 나를 보며 형제들은 말한다. "많이 변했네." "애쓴다"

3

조각조각 다른 기억들.

[큰딸의 기억]

아버지는 나에게는 참 따뜻했다. 많이 안아주었고 중학교에 입학 한다고 비록 한번 입었지만, 읍내에 있는 의상실에 가서 옷도 맞춰 주었다. 어린 시절 문제지도 참고서도 사줬다. 굉장히 열정적으로 나에게 공부를 알려주었다. 그 시절 입학 당시 한글을 알고 이름을 쓸 줄 아는 사람은 나만 있었다. 아버지가 학교를 못 보낸 준 걸 너무 미안해하는 마음이 나를 힘들게 했고 짐이었다. 충분히 아버지에게 사랑을 받았다. 항상 아버지는 버팀목이었고 돌아갈 집이었다. 한 번씩 불뚝 성질에 화를 내기도 했지만, 아버지는 따뜻한 분으로 기억한다. 처음으로 파마를 한 날 벌벌 떨며 집으로 들어갔는데 슬쩍 보시고 모른 척도 해줬다. 다만 후회되는 건 살아계실 때 "사랑한다."라는 말을 못 해준 게 걸린다.

[둘째 딸의 기억]

항상 남동생으로 인한 차별에 대한 기억이다. 입학할 때부터 차별은 시작되었다. 내가 입학을 할 때는 가방 대신 보자기를 메고 갔는데 남동생은 똥 가방을 메고 입학식에 가는 게 그렇게 미울 수가 없었다. 나에게는 사주지 않았던 원기소를 남동생에게는 사줬다. 그 원기소를 몰래 먹었던 기억. 남동생은 보이스카우트로 전국을 누비며 다닐 때 나는 호미를 들고 밭을 매러 다녔다.

가방 이야기를 계속했더니 중학교 입학식 때 빨간색 네모난 가방을 사줬다. 중학교는 가방이 정해져 있는데 그것도 생각하지 않고 무작정 딸에게 가방을 사줘야겠다는 일념으로 사 왔지 싶다. 그때 아버지의 마음을 알았어야 했지만, 아직 어린아이였다.

고등학교를 입학하여 자취하는 곳에 살림을 옮기는데 다른 사람들의 이삿짐은 트럭으로 하는데 아버지는 리어카(손수레)에 짐을 싣고 저 멀리 보이네. 부끄러운 마음에 몰래 숨었네. 아버지가 저 멀리 갈 때까지 보고 있다가 따라갔네. 그때는 그게 그렇게 부끄러웠는데 지금 생각하니 그 행동이 참으로 부끄러운 것 같다. 그때 아버지는 아무 말씀 안 하셨고 집에 와서 엄마에게 말했단다. "자식들은 내가 부끄러운 모양이다."라고 아버지랑 생활한 게 딱 16년, 어린 마음에 서운한 기억만 가지고 있는 것 같다. 잘해줬던 기억도 분명히 있을 것인데 알아주지 못해 미안한 마음이다.

[첫째 아들의 기억]

종손이라는 기대가 언제나 걸림돌이었다. 할아버지와 아버지의 기대치가 높을수록 나는 벗어나려고 노력을 했지만, 번번이 실패했다. 학교에서 시험을 치는 날이면 아버지가 창문으로 쳐다보고 계셨다. 그러면 반항심에 백지를 내기도 했다. 중학교에 입학했는데 아버지가 선생님께 어떤 부탁을 했는지 모르겠지만 똑같은 잘못을 해도 친구는 그냥 넘어가도 되는 그런 사소한 일이 내가 하게 되면 큰일이 되었고 뒤따르는 것은 체벌이었다. 그렇게 아버지가 미웠다. 고등학교 입학을 해야 하는데 가기가 싫었다. 담임선생님이 고등학교 졸업장은 있어야 하니까 시험은 봐야

지 하면서 원서를 써주고 차비를 챙겨주셨다. 그렇게 해서 상고에 가려고 하니 아버지는 "손가락이 두꺼워서 주판 못 튕긴다." 하면서 기어이 읍내에 있는 일반고등학교를 보내버렸다. 겨우 아버지에게 벗어날 수 있었는데 그것도 이루지 못했다. 그래서 직장은 멀리서 구해야지 그렇게 대전으로 가서 자리를 잡게 되었다. 원기소의 기억은 계속 사준 것처럼 이야기하는데 딱 두 번이었다. 그것도 동생이랑 같이 먹었는데 왜 나만 그렇게 몹쓸 사람으로 만드는지 모르겠다. 누나들의 원기소 이야기를 하도 많이 하니 귀에 못 딱지가 않는다. 초등학교 입학할 때도 마찬가지다. 내가 원해서 가방을 짊어지고 간 건 아닌데 그걸 추억이라고 이야기하면 너무 힘들었다. 그 시절 나는 꼭두각시였다. 아버지가 가시기 전에 "큰아들은 내가 미운가 보다" 아니 미워하지 않았다. 어머니가 더 좋았을 뿐이지.

[둘째 아들의 기억]

아버지에 대한 기억이 썩 좋지는 않다. 태어나니 형이 있었다. 근데 그 형이 사고를 좀 많이 쳤다. 그 후유증은 당사자로 끝나는 게 아니라 꼭 나도 함께였다. 이를 악물고 집을 떠나야 연좌제에서 벗어날 수 있다는 일념 하나로 공부를 했다. 형이 불장난하다가 불이 나도 함께 벌을 받았고 불을 끄기 위한 행위도 본인이 해야지 도망가 버리면 누구 몫이냐고 그걸 다했어야 했다. 아버지의 회초리는 화풀이였다고 '사랑의 매'가 절대 될 수가 없다고 지금도 생각한다. 자식들을 위해서라면 그렇게 때려서는 안 되고 말도 안 되는 벌을 줘서는 안 된다. 고등학교를 집에서 다니게 되면 영원히 벗어나지 못할 것 같아서 엉덩이에 핏물이 나는 노력으로 벗어날 수 있었다. 속옷에 항상 피고름으로 가득한 기억이다.

유학이 가고 싶었다. 조금만 도와 달라고 했는데 그걸 안 해주네. 아버지가 마음에 들지 않은 며느릿감을 데리고 왔다는 이유로, 헤어지라고 이야기를 했다. 의지대로 결혼을 했고 괘씸죄가 붙었다. 그렇게 유학은 흐지부지되어버렸다. 지나고 보니 그것 또한 나의 선택이지 아버지 탓이 아니더라. 아버지가 그렇게 닦달을 했기에 고향에서 벗어날 수 있었다. 그렇지 않았다면 어떤 인생으로 살고 있을지 알 것 같다. 힘들게 아버지가 벌어서 공부를 시켜줘서 정말 감사한 일이다.

이 만큼 살아보니 아버지가 얼마나 아등바등하면서 살아오셨는지 어렴풋이 알아간다. 다니던 회사가 부도로 힘들 때 아버지가 계셨고 보금자리를 옮길 때도 함께였다. 항상 우리와 함께 힘들어하고 위로해주고 도와주신 아버지시다.

[막내아들의 기억]

한마디 한다. "쓸데없는 기억들 이야기해서 뭣하나 지금이 중요하지"

항상 이런 식이다. 어찌 보면 굉장히 현실주의자이다. 이런 동생과 나는 제일 많이 논으로 밭으로 다녔고 농기계를 만졌으며 많은 시간을 아버지랑 보낸 장본인이다. 그러니 이렇다 저렇다 말을 섞지 않는 제일 마음 아픈 동생이다.

4

기억하겠습니다.

이렇게 우리들의 기억은 조각조각 다르지만, 아버지에 대한 기억은 하나다. 그런 아버지로 인해 우리 육 남매가 있는 것이다.

조각 하나하나가 모여 커다란 작품이 탄생 되듯이 육 남매의 다른 기억들이 모여 아버지가 되고 그런 아버지가 지나고 보니 참으로 위대한 조각가이고 대단한 작품임을 알아간다.

그 조각가가 만들어낸 작품이 또 우리다. 모두가 따로인 듯하지만 같은 조각가한테서 나온 작품이기에 함께 웃고 울고 부딪히며 어우러져 살아간다.

그 시대에 내가 부모가 되었다면 절대로 아버지처럼 자식들에게 헌신하며 살지 못했을 겁니다. 힘든 시기를 고군분투하며 살아오신 아버지를 이렇게라도 기억해봅니다. 그때 전하지 못한 마음 전해봅니다. 존경합니다. 사랑합니다. 보고 싶습니다.

5

마무리하면서.

이 글을 쓰기 시작하면서 마음이 복잡했다. '이런 이야기를 글로 남겨도 되나?' '나만의 이야기가 아닌데, 언니 오빠들의 이야기인데' 걱정도 되었다.

첫 번째 합평회가 끝나고 "언니 이야기를 글로 옮기려고 하는데 괜찮아"

"없는 이야기도 아니고 다 아는 이야기인데 어때서"

그렇게 대답해주는 언니가 정말 고마웠다.

읽고 수정하기를 반복하다 보니 처음의 복잡한 마음이 정리되면서 아무렇지도 않게 아버지의 직업을 이야기할 수 있겠다는 생각이 들었다. 실제로 글을 쓰는 중간에 중학교 친구들과 1박 2일 함께한 시간이 있었다. 그때 선영이라는 친구가 말했다.

"학교 다닐 때 있는 듯 없는 듯하지 않았나?"

"맞아 그때 내가 왜 그랬는지 이번에 짧은 글을 하나 내는데 한번 읽어보면 알게 될 거야"

그런 말을 할 정도로 자존감을 찾아가고 있다.

학창시절 독후감도 글짓기도 제대로 해본 적이 없는 내가 글을 쓰고 그것을 함께 이야기하는 합평회 때는 정말 많이 긴장되어 가슴이 두근두근했다. 함께 참여한 분들의 따뜻한 격려도 많이 도움이 되었다. 감사한 마음을 살포시 전해본다.

이 글을 읽고 형제들이 어떤 반응을 보일지 기대가 된다. 질

타, 혹 원망이 돌아온다고 해도 담담히 받아들일 수 있을 것 같
다.

이렇게 또 아버지로 인한 한편의 작품이 만들어지고 있다.

인생에 정답은 없으니까

발행 | 2024년 4월 22일
저자 | 이신현, 어나오, 김지혜, 본연의 아름다움, 해원, 김엔냐, 금이
펴낸이 | 이창현
디자인 | 비파디자인
펴낸곳 | 고유
출판사 등록 | 2022.12.12 (제2022-000324호)
주소 | 서울특별시 마포구 와우산로3길 29 2층
전화 | 070-8065-1541
이메일 | goyoopub@naver.com

ISBN | 979-11-93697-05-4 (03810)

www.goyoopub.com